JN017589

月イチ台北どローカル日記

12月

森井ユカ

Yuka Morii

集英社

de local Taipei

目次

まえがきでありプロローグ 4
2018年9月 運命の物件に出会う! 8
2018年10月 物件とご対面! 賃貸契約スタート 14
2018年11月 清掃完了! そして美食の「不老村」へ 20
2018年12月 やっと仕事場らしくなった! 26
2019年1月 いよいよ寝泊まり開始、そして緊張のゴミ捨て 32
2019年3月 飲食店積極的開拓! 43
2019年4月 友人たちのアテンドで新たな台北発見!? 58
2019年5月 いよいよ夏、金物問屋で夜市使用のテーブルとイスを買う! 70
2019年6月 毎朝ちまきを食べるシアワセと、爆裂工事音 82
2019年7月 台湾の和菓子が完成、中華以外をどんどん食べる! 94

２０１９年９月　お笑いライブに行ったり、温霊宮でお告げを聞いたり　102
２０１９年10月　あっという間に一周年！　と新たな脚U-bike　112

あとがき　118

台北どローカルMAP　122

index　124

column
台北の足裏マッサージ・台北の朝食　55
スーパーマーケットで何を買う？　101
台北の書店　120
半々暮らしの始め方　121

本書の見方
傍線とふりがながついているお店や場所は、
巻末のindexでMAP上の位置がわかります。

※この本に記載の情報は2019年12月時点のものです。

まえがきでありプロローグ

『そうだ、台湾に仕事場を借りてみよう』

２０１７年の12月。個展も無事に終了し、年内最後の営業日に会社のメンバー野島とひっそり打ち上げをしていました。

私の会社、ユカデザインではキャラクターデザインなどの立体的な作品を私が、書籍や広告のデザインなどの平面的な作品を野島が担当していて、今みなさんが読んでくださっているこのような書籍の場合は、私が取材と執筆、野島が書籍の体裁にデザインして世に送りだしています。はっと気付くと一緒に仕事をしてもう20年以上。ちなみにユカデザインという社名は学生時代の課題で安易に考えたものを、なんとなくそのまま使っているだけです。

さあ、何もかも忘れて正月休みに入るぞというこのタイミングで、私は自分の中で思いついてホヤホヤのすばらしいアイデア、台北への仕事場移転計画をきりだすことにしたのです。

東京の台東区入谷から港区麻布十番に自宅と事務所を移して約15年、今の事務所が２０１８年の秋で４回め（９年め）の更新を迎えることになり、それまで同じ場所に５年以上事務所を置いたことがなかった私は、環境を変えたくてムズムズしていました。

このとき借りていた事務所は麻布十番の駅から徒歩2分、公園に面していて日当たりもよく、オートロックのビルでワンフロアに一軒、83平米で家賃30万円と、この辺ではありえない好条件でした。シェアしていた後輩のS君と3人で広々使え、台所で自炊もできて、雑貨コレクターという肩書きもある私のむちゃくちゃ膨大な雑貨を全て収納することもできました。時々預かる猫のモモタも、直線距離を嬉々としてダッシュしていたのですが……実際この賃料を払い続けるのは楽ではなく借金も減らないので、もう少し条件のよいところを近所で探してみることにしたのです。しかし利便性の高い麻布十番の人気はうなぎのぼりで、同じような条件だと家賃倍額はあたりまえ！予算にかなう物件は地下鉄でいくつか移動するしかない状況でしたが、仕事をし始めて以来、ずーっと自宅と仕事場が至近距離にあったので、職住が離れてしまうことをなかなか想像できずにいました。

そのときふと、「電車を使うなら、いっそ飛行機に乗って毎月半々で海外の仕事場に通うのはどうだろう!?」とひらめいてしまったのです。たとえば最近頻繁に訪れている台北なら家賃相場は東京より安く、交通費もLCCなら往復最低2万円台、仕事の多くはネットがあればできるし、微弱に勉強し続けている中国語(北京語)も使える。本社機能は自宅に移して、私も野島も東京ではお互いの自宅で仕事し、行ける時に行ける方が毎月台北に行けばいいのでは……と妄想が秒速で広がっていきました。そしていいことを考えついたが最後、自分で自分を制御できなくなってしまうのです。

1990年代に香港が好きすぎて衝動的に部屋を借りてしまったこともあり、自分の中に違う文化の日常が並行して存在するあの楽しさが、ずっと忘れられなかったということもあります。そして実際周りでも、二拠点生活を始める人がじわじわと増えていました。

このようにすばらしい台北仕事場計画、野島も旅行や食べることが大好きなので、きっと諸手を挙げて大賛成！　というリアクションを期待したのですが、反応が薄いではありませんか。究極のリモートワーク実験を想像して勝手にわくわくしている私とは対照的に、デザイン事務所として好条件の東京の拠点を手放すことへのネガティブなイメージを拭えなかったとのこと。聞いてすぐ了解はしてくれたものの、好意的にとらえてもらえるまで数ヶ月かかることになりました。石橋を叩かず突っ走る私に対して野島はいつも冷静で、このバランスにいつも助けられているのです……。

不安がないわけではありませんが、試してみなければわかりません。ダメだったら今まで通りに戻せばいい。ともかくネットやLCCのなかった頃を考えると、今この恩恵に預からずにいつ預かればいいのだろうと、だんだん焦りさえ感じるようになってしまいました。時間は砂時計の砂のようにサラサラと、いやザーザーと音を立てて目の前を通り過ぎていきます。

正月休み明けの2018年1月上旬に、私と野島、夫でイラストレーターのもりいくすお、後輩S君と4人、仕事始めの事務所飲みの席で「年末からユカデザインは台北に仕事場を移して、毎月行ったり来たりし始める」ことを宣言しました。

半々暮らしを目指すとしても、当面ビザなしだと年間の台湾滞在可能日数は合計で90日。となると月平均1週間ほど……ちょっと少なく感じるけど、母校の桑沢デザイン研究所で週一の授業もある上、2月と8月は学校行事が立て込んで渡航さえ危ぶまれるため、妥当な日数だという気もします。物理的には半々ではないけれど、精神的には半々でいってみよう。


さて、現在の大量の荷物をどうにか整理して、東京の自宅で仕事をできるようになるのでしょうか？　理想的な仕事場は台北に見つかるのでしょうか!?

このとき私は裸一貫からリスタートするような、まるで滝に打たれにいくような謎の爽快感に酔いしれていて、細かいことはあまり気にしていませんでした。

9月

SEPTEMBER | 2018

2018年9月
『運命の物件に出会う！』

9月X日　東京

台北と東京の半々暮らし宣言をしてからあっというまに9ヶ月！

調子よく決めたはいいけど、来月10月に出なければならない東京の事務所の荷物整理と日々の業務であまり台北に行けないという、泣くに泣けない状況に陥っている。

物件探しの極意については、在台北歴の長い日本人の友人、Yさんに聞いてみた。公私ともにお世話になっている飲み友達でもあるので、しらふで会うとわけもなくテレる。

台湾の物件は9月に動くと聞いたため、8月あたりから教えてもらった大手物件サイト『591』を頻繁にチェック。これがもう、寝食忘れて夢中になるくらい楽しい!!

日本人が会社都合で台湾に住むとしたら、おそらく日系の業者がかしこまった物件を仲介することになるのだろうけど、591で紹介されているのはまさに玉石混交！　デザイナーが力を込めてリノベーションした超絶クールな物件から、どうやって住めばいいのかわからない工事中みたいな物件まで恐ろしく幅が広い。外食文化の台湾らしく、台所のない家も少なくない。

9月X日　東京

台北に仕事場を借りたいといいふらしてみると、「なぜ台湾なのか？」と尋ねられる。これは「ビジネス上何らかの得があるのか？」という意味なのだけど、経済的な損得は全く考えてなくて、自分が楽しいからということだけ。理由をあえて挙げるとするなら、台湾のおいしいものとデザインが好き。それと日本以外の文化の中にどっぷり浸かってみたいと思ったから。

物件はあれこれこだわるとキリがないので、第一に場所、第二に家賃、第三に広さ、という優先順位にした。いいところがあれば11月くらいまでに下見と契約ができればラッキーだ。

優先順位その1は場所。台北に通い始めたときに胃袋を掴まれた半屋台の店、阿桐阿寶四神湯《あーとんあーばおすーしぇんたん》の徒歩圏で探すことに。四神湯《すーしぇんたん》は台湾の地元料理で、豚のモツやハトムギを使った薬膳スープ。見た目はエグいけど滋味溢れるすっきりとした風味。台北に行くたびにほぼ毎回訪れていて、誰かと一緒の旅行でも夜中こっそり一人で来たりもする。最寄りの雙連駅周辺には賑やかな雙連朝市《しゃんりぇんちゃおしー》や、中山駅までの一駅分の地下街には細長〜い本屋の誠品R79《ちぇんぴんアールちーじう》（誠品書店の支店）、古い家屋をリノベしたショップが集まる赤峰街《ちーふぉんじえ》もあったりと、好みの店が集中している。

優先順位その2の家賃は日本円で8万円ほど、その3の広さは60〜70平米にしてみた。

9月X日　東京

旅好き仲間、集英社・山本智恵子さんとゴハン。私の台北東京半々暮らしについてはすでに話しており、いつも目をキラキラさせながら聞いてくれる（そして後にこの本の編集を担当）。このとき山本さんからは地下鉄駅配布のフリーペーパーにたまたま載っていた、台北各地の家賃相場の記事を見せてもらう。こういうネットにない小さな情報が本当にありがたい！

台北の家賃の差は、立地に寄る。例えば台北101タワーに近かったり、窓から見えたりする物件はわかりやすく高くなる。風水的な意味合いもあるのかもしれない。

夜中に野島からいい物件が見つかった！　と連絡あり。このころから住居型オフィス（SOHO＝住辦）に拡大して探し始めたので、ちょっと目を離すと新たな物件がどしどしアップされているのだ。SOHO物件が多いのはスモールビジネスを立ち上げやすいからだろう。

さっそく確認すると、場所はパーフェクト！　例の四神湯の店から徒歩3分、一本隣には美食で有名な寧夏夜市《にんしゃーいえしー》がある。ここの劉芋仔蛋黄芋餅《りゅういーざいだんほぁんいーぴん》で買える「蛋黄芋餅《だんほぁんいーぴん》（玉子の黄身と肉でんぶ入りタロイモ団子）」はもっちりと甘しょっぱくて、飽きずにこれまで100個は食べている。物件の外観は味のある「横丁物件」（裏通りにある年季の入った物件のことを、愛を込めてこう呼んでいる）で、雙連駅と中山駅、空港快速の台北駅、乾物街の迪化街《でぃーほあじえ》も徒歩圏。5部屋のみのユニークなPlay Design Hotelと同じブロックなのもいい予感がする。

クリーム色のタイル床と壁のシンプルな内観。もっさりした黒い棚や長テーブルは前の店子が置いていったものだろう、約80平米で家賃は日本円で約9万円。予算よりちょっと高いことに目をつぶれるくらいの好条件……このとき、四神湯屋の隣のマンションというビックリ物件もマークしていたのだけど、狭い上に部屋が小分けされていたので、気持ちは動いていなかった。

物件パトロール数百軒、もしかして運命の物件かも？　と直感し、台北のYさんに報告。

9月X日　東京

なんとYさんが仕事の合間をぬって物件を見に行ってくれることに。私は〆切の近い立体造形にとりかかっていて身動きとれず……というわけでご厚意に甘える。持つべきものは友達だ。

果たしてお返事は「総合的に考えていい物件だと思いました！」台湾生活の長いYさんの言うことだから間違いはないだろう。追加情報として、エレベーターなしの二階で1フロアにこの物件だけ、台所はあるがガスコンロはなし、それと近所のクラフトビール屋、軍火庫《ちゅんふぉーくー》がいい雰囲気、などなど。また今まで借りていた会社のオーナーが日本人だったそうで、日本人は大歓迎とのこと。ただこのあと台北のデザイン事務所の内見も入っているらしく……ええっ？　同業者が目をつけているということは、私にとっても悪くない物件に違いない。

判断材料は揃った。Yさんが唯一危惧していたのは、バスルームに浴槽はなく、トイレと洗面台とシャワーがいっしょにあるだけという点。アジアの学生寮といった佇まいなのだろうな。風呂は大好きだけど、他の条件がよければ簡素なバスルームでも特に気にはならなかった。

契約条件は、保証人不要(物件によっては必要)、敷金2ヶ月、仲介手数料は半月分。水道、Wi-Fi、ケーブルTV代込み。電気代のみ伝票を持ってコンビニ支払いなのは日本といっしょ。冷蔵庫付きで、その他の家具は応相談(香港や台湾の物件は家具付きが圧倒的に多い)。でも自分で好みのものを揃えたいから、家具は不要。改装は日本の賃貸よりずっと自由。

弾丸で内見に行こうか、でもそのキリをつけている間にデザイン事務所に取られたらどうしよう……と、知らないデザイナーがほくそ笑む顔を想像しつつ、気持ちはかなり焦っていた。

9月X日　東京

一晩寝ながら考えた結果、あの物件に決めた！　なんというか顔写真しか見ていない人と結婚するような勢いだけど、やはり同業者に取られるのは惜しい(そう決まっている訳ではないけど)。大家さんに入居の希望を伝え、できるだけ早く契約に行くことにする。

決めたところで浮かれてばかりはいられない、来月には東京の事務所を引き払うため、大量の什器や書籍、雑貨その他を自宅に入る量まで減らさねばならないのだ。

SNSで友人たちに呼びかけてみたところ、タイミングよく『蔓餃苑』(日本一予約が取れない餃子サロン）の店主でミュージシャンのパラダイス山元さんが棚類のほとんどを引き取ってくれることになり、「dancyu」編集長の植野氏や、編集者の酒井ゆうさんも手を挙げてくれた（同業は皆、モノが異常に多い）。書籍や雑貨類は、母校のチャリティフリマにどーんと出品することにした。

引っ越し作業で一番ツラい瞬間も、台北の物件が待っていると思うと、気分が軽くなる。そして物件を決めたら不思議なもので、なんとなく台湾での仕事の話も入ってくるようになった。

ちょっと前までは全く知らなかった人たちとの関わりが、音を立てて繋がっていく。こういう瞬間がなにものにも代え難くて、遠くに拠点を作りたくなってしまうのかもしれない。

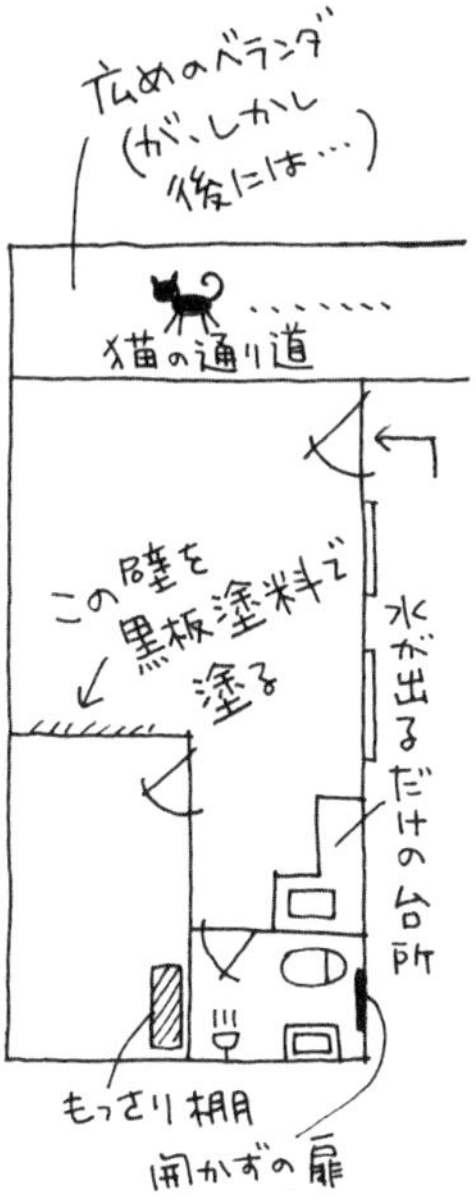

〈仕事場図〉

10月

OCTOBER | 2018

2018年10月
『物件とご対面！ 賃貸契約スタート』

10月X日　東京

なんとか東京の事務所を引き払うことができた……これから東京では自宅で仕事。

10月X日　台北

いよいよ物件の契約へ。今月からほぼ毎月台北に行くことになると思うと感無量。マイレージがたまっているときはＡＮＡで、そうでないときはエバエアーかＬＣＣのPeachで行く。ＬＣＣは出発が明け方、戻りは夜中だけど、近所から羽田までの深夜バスがあるのでちょうどいい。

現場の掃除が終わるまでは、徒歩圏にあるカジュアルなビジネスホテル、VIA HOTEL LOFTに滞在。部屋は狭いけど、共有スペースに大きいテーブル、24時間おやつと飲み物がある。

物件の階下にある大家さんの事務所に、大家さん母子、仲介業者、Ｙさん、台湾人の友人Ｇさんと私の６人が集合して契約の儀を執り行う。専門用語は聞き取れないので友人の同席は本当にありがたい。大家さんたちは明るくてとてもフレンドリー、主に息子のKさんが面倒を見てくれることになった（以後、大家ママ／大家Kさん）。契約書の書式は日本とあまり変わらず、印鑑を押したら鍵を受け取る。そして（順番が逆だけどやっと）物件とご対面！

第一印象は「広い！」写真から想像していたより広く、ガランとして声が響く。木材を使っていないからか独特の素っ気なさがあり、手の入れがいがありそうな空間だ。パワフルなエアコンも2台あり、台湾では珍しく冷暖房式。2月頃はとても冷え込むので嬉しい。

大きい部屋を作業場に、小さい部屋を寝室兼物置きに。野島と滞在がかぶったら、どちらかが近所の安いホステルで寝ることにする。前入居者が置いていった棚やテーブル、ベランダの鉢類は撤去をお願いし、冷蔵庫がなかったので、大家さんに現金をもらって後日買いにいくことにした。

契約後はYさん旧知のMさんも合流し、食事しながら台北生活のあれやこれやを聞く。

まず初心者が面食らうのは台湾独特なゴミの出し方。物件に管理人がいない場合は、毎日巡回する収集車に自ら持って行かねばならない。Yさんは台北に住み始めた頃、ゴミ出しの機会を失い続け、仕方なく毎日ゴミと一緒のタクシー出勤を余儀なくされていたとか。

喜ばしいのは、ここ数年、政府を挙げて衛生管理と紙質改善に取り組み、公にトイレットペーパーを流してもよくなったこと！　使用後の紙を傍のゴミ箱に入れなければならなかったのが、実は唯一の憂鬱だった。

10月X日　台北

雙連駅前にある世紀豆漿大王《しーじーとうじゃんだーわん》で、ご当地朝食の定番「鹹豆漿《しぇんとうじゃん》」（おぼろ豆腐に小エビやザーサイが入ったようなスープ）と、付け合わせに「焼餅《しゃおびん》」（小麦粉を薄く伸ばして焼いたもの）を。台北は朝食のバリエーションも豊富で安いから、早く起きてみようという気になる。

今日は物件を徹底的に採寸して、正しい間取り図を制作する（なんと大家さんも持っていない）。あとはひたすら掃除。まだ椅子もテーブルもないので、床に紙を敷き、ランチは近所の池上便當《ちーしゃんびぇんたん》で買ってきた弁当。池上は台湾のブランド米で、木枠の弁当箱が特徴。全体的に茶色いけど味はそれほど濃くはなく、米・野菜・肉が三段重ねになっていて満足度がとても高い。

採寸に必要な筆記用具、そして掃除用具などなどは日本から持ってくる必要はなく、すぐ近所にあるドンキと東急ハンズを足して煮詰めたような24時間営業の生活雑貨店、小北百貨《しゃおぺいばいほう》でなんでもそろう。もうこの店なしでは台北で生きていけない私たちになってしまった。

すぐ近くには24時間のコインランドリー、コンビニはファミマとセブンイレブン、スーパーは至近距離に地元資本の頂好超市《でぃんはおちゃおしー》（Wellcome）、ちょっと歩くと大型スーパーの家楽富《じゃらふ》（カルフール）がある。少しずつ周りの環境を知っていくことは新生活の醍醐味だ。

夕方お腹が空いたら寧夏夜市《にんしゃーいえしー》へ。一本通りを越えただけで突然別世界のように賑やかな夜市が現れ、気分が高揚して走る必要ないのに走ってしまう。子供達がパチンコやエビ釣りに興じる傍らを通り抜け、劉芋仔蛋黄芋餅《りゅういーざいだんほぁんいーぴん》で大好きな芋団子を買う。なんて台北らしい夜だろう！

10月X日　台北

掃除→メシ→仕事→掃除→メシ→仕事……10月も末になると過ごしやすい気候になるので、作業ははかどる。たまに足裏マッサージを挟み込んで自分の機嫌をとる。PCはノートブックを持ち運び、文具や粘土などの造形素材は東京の自宅と全く同じものを用意して、仕事しやすい環境を作る。台北にいると肉&炭水化物の食事が多く、肉食の私でも野菜を無性に摂取したくなるときがある。近所に精進料理の店が何軒もあるけど、カフェテリア形式の素食チェーン明徳素食園《みんだーすーしーゆえん》が気楽でいい。100種以上並ぶベジ惣菜が壮観だ。

家電量販店を偵察、台湾は意外と家電が高い。日本より3割ほど高く感じ、選択肢もそれほど豊富ではないので、掃除機など小さい家電は日本から持って来た方がよさそう。さしあたって生活に必要なのは冷蔵庫と強力な除湿機。結局、近くの大型スーパー・カルフールの家電売り場の品揃えがよかったので、アタリをつけておき来月買いにいくことにする。

最も重要なのが、立体造形のための粘土を焼いて固めるオーブン。ところが使い慣れた「オーブンレンジ」というものが台湾では見当たらない。調べてみると世界的にはオーブンとレンジは別々が基本で、オーブンレンジは日本独特の文化であることを知った。これについては近所の量販店で、今使っているものものとほぼ同じパナソニックのものを取り寄せることにした。

10月X日　台北

朝飯は、台南で食べてからぞっこんのご当地食、碗粿《わーぐい》を食べに1959年創業の老舗、呉碗粿之家《うーわんぐおじーじゃー》へ。豚肉や玉子の黄身、しいたけなどが入った米粉の茶碗蒸しで、みたらし団子のように甘しょっぱいタレ、チリソースとすりおろしにんにくを少々乗せていただく。ああたまらない。

台南は数年前「爆竹祭り（鹽水蜂炮）」の行き帰りに訪れた。これは厄払いに自らロケット花火を浴びるという（諸説あり）完全にどうかしている祭り。台北との食文化はかなり違っていて、より甘く、よりポーションが小さい。以前「家賃は安いしアーティストも多いから絶対台南に住むべき！」と台湾人の友人が力説していたので、いつかはそれもいいかもしれない。

今日も引き続き掃除。数日居ると意外なものがないことに気づく。ひとつはインターホン。賃貸7軒どれもない。次に来るときに取り外しのできるワイヤレスチャイムを持ってこよう。

それともうひとつは、洗面所に換気扇がない（これまた前の人はどうしていたのだろう?）。換気扇の取り付けと、立て付けの悪い網戸の修理などを大家Kさんにお願いする。

大家さん母子は何かと声をかけてくれるし、大家さん事務所の従業員さんは私が建物に出入りするたびにちぎれんばかりに手をふってくれる。子供の頃に住んでいた公団住宅を思い出す。

開けっ放しにしていたドアの前を階上に住むご家族が通りかかったので挨拶すると、日本人が(ローカル物件に)住み始めたことに驚かれ、すでに家に帰った子供達をわざわざ連れ戻して私を見にやってきた。どうやらここでは私たちは珍しい動物のような立ち位置のようだ。

夜は寧夏夜市の感恩牛羊肉小館《かんえんにゅうやんるーしゃおくぁん》で番茄牛肉麺《ふぁんちぇにゅーるーみぇん》(トマト牛肉麺)。牛肉の塊が大きく、幅広の麺にコシがあり量も多く食べがいがある。トマト牛肉麺を食べ歩くのは私の密かなミッションなのだ。ああ、もっと色々食べたい……というところでいつも、東京に帰る日がきてしまう。

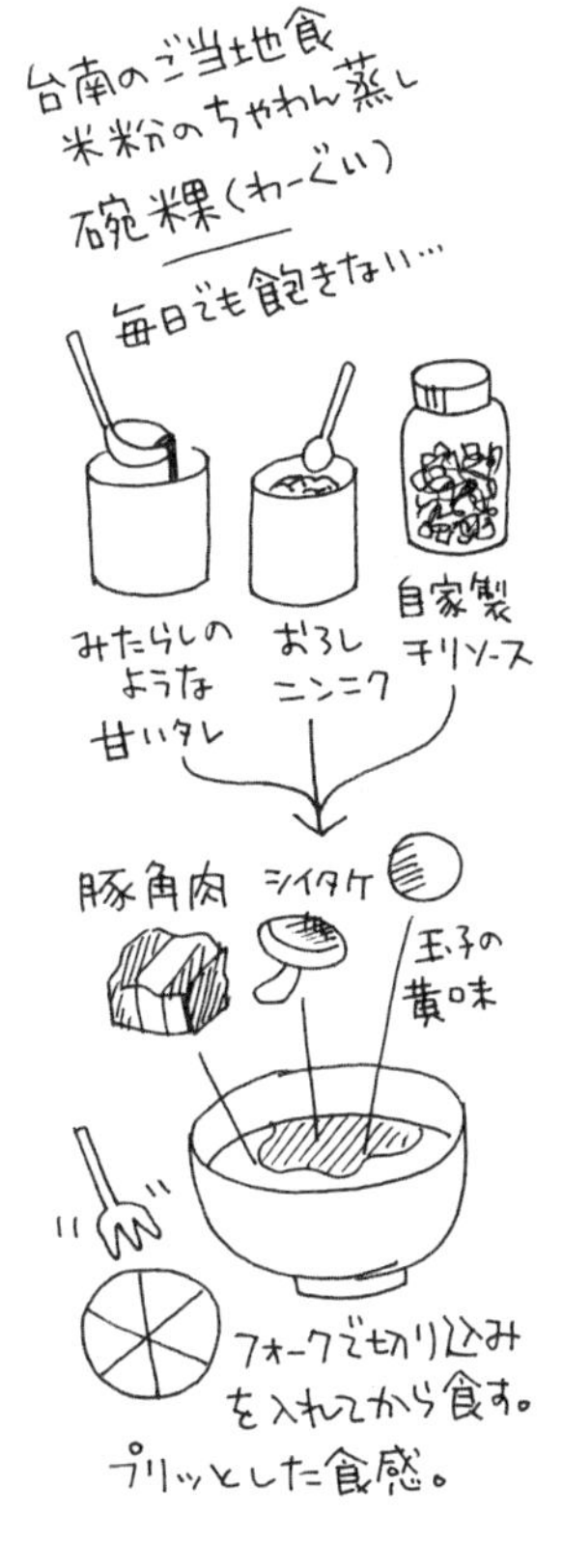

11月

NOVEMBER | 2018

2018年11月
『清掃完了！　そして美食の「不老村」へ』

11月X日　東京

大家Kさんとは LINE でやり取りをしている。私たちの不在中に換気扇の取り付け工事をしてくれることになり、「抽風機」がいいか「鼓風機」がいいか尋ねられた。抽風機が一般的な家庭用の換気扇、鼓風機は業務用らしい。今までまったく触れてこなかった単語なので勉強になる。こういったやり取りもスマホでささっと翻訳できるのは本当に便利で、以前香港に部屋を借りていた時とは隔世の感がありしみじみする。これがきっと小さくなって耳に入れられるようになって、どんな外国語でもわかるようになるんだろうなあ。いいなあ、未来の人たちは。

東京にいると中国語を話す機会がないので、アプリ『NHKゴガク』でラジオ中国語講座をほぼ毎日聞いている。1週間さかのぼって好きな時間に再生できるから、風呂や掃除のときに便利。

90年代に香港にはまっていつか住もうと決めた時、貯金も人脈もなかったのでまずは中国語を習い始めることにした。いくつか学校に通ったり、先生に来てもらったりして今は自主練。台湾のみなさんは英語に堪能だから、中国語ができない場合は英語が十分使えるけど、やっぱり言語は重要な文化の一つなので、その土地の人々の考え方を知るのに語学学習はとても重要だと思う。

台湾の北京語は台湾華語といい、発音も語彙も文字も大陸の北京語とはある程度異なっていて、なんとなく大阪弁と標準語くらいの距離感がある。他に福建省由来の台湾独自の台湾語もあり年配の方々が使っているけど、北京語とは全く別ものなので聞き取りはほぼ不可能。

中国語は発音が重要なので最初は地味に辛いけど、そこを乗り越えればきっと楽しくなるはず。

11月X日　宜蘭

不老部落の美食ツアーに参加するため、台湾東部の宜蘭へ。いつも台北に現地集合して食べる時だけ居合わせる、東京の胃袋仲間といっしょ。今回は台湾人の友人も合わせて10人近くになった。自然に恵まれた山間部でタイヤル族の美食&美酒を昼間っからこれでもかと味わえる……と聞けば、参加しないわけはない。ちなみに「不老」はブラブラ歩くという意味の当て字で、「部落」とは先住民族の住む地域のことを台湾では一般的にこう記す。

タイヤル族は台湾の原住民族の中で2番目に多く、人口は約8万5千人。文字通り山あいの村をブラブラしながら、ときに道端に生えている花や草をつまみ食いしたり、木工や機織りの手工芸の工房に立ち寄ったり、小さな酒蔵で粟から作る黄色い酒「小米酒」をいただいたりした。マッコリにちょっと酸味をプラスしたようなマイルドな味で、すっかり気に入ってしまった。

メインイベントのランチに食べるものはほぼ全て村の中で収穫した野菜や肉で、美しい懐石風盛り付けもあれば、野趣あふれるイノシシ肉を串に刺し、自ら火で炙ることも。食の合間に小米酒が無尽蔵に注がれて、もうろうとしながら民謡を聴いたり、フォークダンスを踊ったりしながら、気がつくとタイヤル文化が身体にしっかり浸透している……という、日本の村おこしなどに関わる人におすすめのツアー。人はきっと、おいしいものにつられてやってくる。

11月X日　台北

不老部落に行く前、台北の仕事場に一瞬寄って、東京から担いできた『DRAW A LINE』という照明を置いてきた。メーカーは平安伸銅工業、デザインはTENT。おそらく「世界一カッコいい突っ張り棒」で、黒い金属製のポールに照明やトレーなどを組み合わせて使う。

再び戻って奥の部屋をよく見ると、撤去をお願いしていたはずの「もっさりした黒い棚」がなぜか残っていてギョッとする。これだけ残すのはよほどの事情があるのかと思い大家Kさんに連絡。すると大家さんが母子で事情を説明しにやってくるという。震えて待つと二人がやって来て、(他に誰もいないのに)ずずずいっと近寄り小声で話す。

「あなたこれ、使いなさい。この棚があると儲かるから。先住者も儲かってここを出ていった。

来年儲からなかったら、その時は撤去してあげる」……要するに風水的に置くがよしとのこと。予想外の答えに腰が砕けたけど、面白いのでこのままにすることにした（しかし効果は未だ現れず）。

掃除の最終仕上げをしたら、四平街番茄牛肉麺《すーぴんじえふぁんじゃーにゅうろうみぇん》でトマト牛肉麺。酸味と甘みとトマトの分量のバランスが絶妙で、パンチに欠けるが食べ飽きない。その後は豆花荘《とうほあじぁん》へ。豆花《とうほあ》はゆるめの豆腐に好きなトッピングを選ぶもので、どんなに食べても罪悪感を感じないというすばらしいオヤツ。添えるのは、モチモチした芋団子の「芋圓《いーゆえん》」だけでも満足なのだけど、ここは3種選べるのでタロイモ「芋頭《いーとう》」と、ちょっとほろ苦いハーブのゼリー「仙草《しぇんつぁお》」を追加。仙草を食べると気のせいか体調が良くなる気がして、仕事もかなりはかどる。

11月X日　台北

台湾といえば小籠包。知られているのは東門に本店がある鼎泰豐《でぃんたいふぉん》、初めて台北に来たときに長い時間順番待ちしてありついた小籠包の味は、その後の基準になった。今日は半屋台スタイルでぱぱっと食べられる阿琪師小籠包《あーちーしーしゃおろんばお》で、目指すはチーズ（乳酪）小籠包。意外なほど相性が良くクリーミーな味わい。そのままでもよし、辣椒醬をつけてもよし。こういった店には調味料がところ狭しと置いてあるので、淡白かな、と思ったら好みの味に積極的に調整してみる。

来月から仕事場に寝泊まりできるように、最低限の家具を買いに宜家家居《いーじゃーじゃーじー》（ＩＫＥＡ）へ。今日はいろいろ見比べたいので通常大型店舗の新荘店に行くけど、ちょっとした買い物の場合は中心部にある都市型ミニ店舗の敦北店で間に合う（２０２０年春にやっと東京の原宿にも都市型店舗が開店する）。日本は21時閉店だけど、22時までなのもありがたい。

ギリギリまでさんざん迷って、テーブルはデンマークのＨＡＹとのコラボ、椅子はオランダのピート・ヘイン・イークとのコラボ（すでに自宅に3脚ある）製品にした。湿気対策として竹製の枠のベッド……でタイムオーバー。ソファは好みのデザインがなく今回はパス。配送は常に4日後体制で、配送してほしい4日前にＩＫＥＡに行って頼むものらしいが、うーん、私の聞き間違い？

ところでＩＫＥＡ都市型ミニ店舗の敦北店入り口と、前述の鼎泰豊本店がある東門5出口には台湾版「BIG ISSUE」の販売員がいるので、見つけたら必ず買うことにしている。デザインが秀逸で、フォトブックとして手元に置きたくなるほどのクオリティなのだ。台湾のグラフィックデザインにはいつも感心させられるが、特に書籍や雑誌にその底力が現れている。だから、台北に来る友人には、まずは書店を見てもらいたい。東京日本橋に進出した大手チェーンの誠品書店も、書籍の間に生活雑貨を取り入れた先駆けで素晴らしいけど、ぜひとも漢聲巷門市《はんしぇんしゃんめんしー》に訪れてほしい。自社出版による、中華文化が凝縮された手の込んだ造本は台湾の至宝だ。

11月X日　台北

〆切が立て込んできたので、とりあえず通りに出て台湾のおにぎり飯團《ふぁんどぅあん》を「米飯連盟」という看板の神出鬼没な屋台でテイクアウトして、かじりながら仕事。俵形を平べったくしたようなルックスで、日本のおにぎりの倍くらいあり、もち米に玉子や豚肉、刻んだ揚げパンなどが入っている。近場で有名なのは寧夏夜市《にんしゃーいえしー》の端っこにある劉媽媽飯團《りゅうまーまーふぁんどぅあん》で、いつも長蛇の列だ。

テイクアウトのことは「外帯《わいたい》」、店の中で食べる時は「内用《ねいよん》」と言う。

最近は台湾と日本のものがどんどん行き来して、現地ならではというものがだんだんなくなってきているように感じる。たとえば何十種類もパイナップルケーキを食べ比べて、これだ！と思ったのが舊振南《じうちぇんなん》のものだけど、つい最近よりによって地元麻布十番で手に入るようになった。台湾ならではのとっておきは、不老部落ツアーのような「体験」に集約されていく予感がする。

不老部落
タイヤル族の
コスチューム
赤・ピンク・紫の
暖色系ボーダを
基調に、黒で
シメる。

12月

DECEMBER | 2018

2018年12月
『やっと仕事場らしくなった！』

12月X日　台北

（月をまたいでそのまま滞在）下見をしていた冷蔵庫と除湿機を買いにカルフールへ行き、ＩＫＥＡの家具と同じ日時に届くよう配送をお願いする。「運送《ゆんそん》」と伝えれば、あとは書類に連絡先を書き込むだけなので思ったより難しくはなかった。ただ台湾での携帯番号がないのがだんだん不便になってきた。どうにかしなければ。

たまたま冷蔵庫は東芝、除湿器は日立、オーブンがパナソニックで日本製が揃った。

昼はずっと行きたかった萬國酸菜麺《わんごうすわんつぁいみぇん》（現・萍姉《ぴんじー》酸菜麺）へ。看板料理の酸菜乾麺《すわんつぁいがんみぇん》は、汁なし麺にちょっと乾燥させた野沢菜のようなものがパラパラと振りかけてある。底に沈んだしょうゆ味のタレと混ぜ合わせ、目玉焼きを乗っけていただく。ニンニクも絶対合うと思うけど、夕方からの打ち合わせに備えてちょっとセーブした。シンプルだけど奥深くて、またすぐに食べたくなる麺。

私がデザインさせてもらった、とある日本のキャラクターの台北展開についてのお話があり、台北の担当窓口会社であるE社へ。東京から来た日本側担当のOさんも一緒に、打合せと会食。台北のデザイン系の事務所は、どこも手の込んだ改装をしていて、外観は普通のビルでも中は腰を抜かすほどスタイリッシュだったりするので、実に実にうらやましい。

会食は正統派レストランの欣葉へ。台湾人がこれぞ地元の味と誇るスタンダードな台湾料理。日本人同士で何度か行ったことがあるけど、観光客としてチョイスするメニューと、地元のみなさんが選ぶメニューには微妙な差があった。角肉の煮込みや切り干し大根のオムレツ、シジミ漬けは定番中の定番。観光客にとってのメインはカニのおこわだけど、この日のご飯物はほんのり甘い芋粥。他に台湾式春巻きの甘い潤餅や旬の芋の葉炒めなど、基本的ながらも個性的で印象に残る味だった。

食後、台湾が初めてというOさんをマッサージの不老松《ぷーらおそん》に案内する。ちょっと高いけど接客が丁寧なチェーンで、施術後にお茶とオヤツが出てくる（このときは香港の亀ゼリー）。Oさんは翌日早朝日本に帰る弾丸出張、寝坊して危うく飛行機を逃すところだった。都心に近い松山空港だったのでギリギリ助かったけど、郊外の桃園空港だったら完全にアウト……うう。

12月X日　台北

昨日訪問したE社の内装に感化され、まずは花柄でちょっとファンシーな、ユカデザインのバスルームのドアを取り替えさせてもらうことにした。大家Kさんに相談すると、すぐに業者さんからカタログをもらってきてくれた。このスピード感が嬉しい。えーと簡易な樹脂製のドアなら、工賃含めて日本円で1万円くらい。なるほど、これは誰でも気軽に改装するわけだ……！　ただ分厚いカタログのわりにバリエーションに乏しく、選ぶのにはちょっと苦労した。最終的に船の客室のようなイメージの、丸窓が縦に並んでいるドアに決める。

仕事場に入ってすぐの壁には、自分たちで「黒板塗料」を塗ることにした。乾くとチョークで自由に絵が描ける黒い塗料。日本で買っても危険物扱いになって飛行機に預けられないので、台北で買える店をE社のデザイナーさんに教えてもらった。

ドアの付け替えも、壁の塗り替えも大家さんとしては全く問題なし。壁をブチ抜くような改装以外は自由にしてOKとのこと。しかしある程度お金をかけて改装するほどここに長くいるのかどうかは解らないので、少しずつ必要なところからやってみることにする。

そうこうしているうちにIKEAから家具が、そしてカルフールから電化製品が相次いで届く。これでやっと椅子に座って休んだり、テーブルで仕事ができるようになった。

配送にはAmazonで買って持ってきたワイヤレスのチャイムが大活躍。IKEAの荷物は建物入り口で受け取り、大家Kさんもいっしょに仕事場に運んでくれた。心から感謝。

とりあえず組み立ては後にして、チキンライスの鑫耀鑫《しんやおしん》でランチ。看板料理はご飯に蒸し鶏が乗っている好吃雞肉飯《はおちーじーるーふぁん》。見かけはシンガポールの海南チキンライスに似ているけど、タレがしっかり甘いところと白米に味がないのが台湾風。ここはつい先日の汁なし麺（萬國酸菜麵）、先月のチーズ小籠包（阿琪師小籠包）などと同じく『食べ台湾！』のサイトで見たところ。ずっとこのサイトのファンで（信用できる味なのもさることながら、食べる量が多めで親近感が湧く）、やがて胃袋仲間の編集者が書籍化、その後東京のイベントで筆者のAiwanさんに直接お会いできることになろうとは想像していなかった。胃袋は繋がる！

ドアのカタログにはこんなカンジのもた〜くさんあった。。
一周まわってコレもありか??
誰？

12月X日　台北

母校・桑沢デザイン研究所の大先輩、中西元男先生の講演会がちょうど台北市内で開催されるので聞きに行く。日本のＣＩデザイン（企業のトレードマークなどのデザイン）を牽引してきた、ＣＩデザインの父と呼ばれている中西先生。会場は若い学生やデザイン従事者で超満員だった。企業のトレードマークを好印象なものに変えると業績も上がるという、デザインで経済を活性化させるすばらしい事例をいくつも拝見する。こういった刺激を受けると仕事がしたくてウズウズしてしまうので、帰りがけに軽くランチしてからさっさとホテルに戻り、仕事をすることに。

雙連駅すぐ、半屋台の香満園《しゃんわんゆぇん》で魯肉飯《るーろーふぁん》と金針赤肉湯《じんみーちーるーたん》。魯肉飯は豚肉を甘しょっぱく煮込んでご飯にかけたもので、日本で言えば牛丼くらいポピュラーなご当地食。日本でも知名度はかなり高いのではないだろうか。金針赤肉湯スープには、金針花というシャキシャキとした歯応えのユリ科の花(日本語ではワスレグサ)が浮いていて、華やかな風味を醸し出している。

台湾の人はご飯時には必ずスープを一緒にとる。暑い時期はなかなかマネする気になれなかったけど、周りに合わせて飲んでいるうちに、ないと物足りなく感じるようになった。

12月X日　台北

東門・永康街のBirkenstockへ靴を見に行く。ここでは入り口で靴を脱いで店の中に入る。あれこれ履いて試すわけだから、ものすごく合理的だ。Birkenstockはドイツのメーカーで、靴の中で足の指先を「パー」にできるのがあまりにも快適。底を貼り替えながら数種類を平行させて10年以上は履き続けている。台湾だと結構安く買えるのに、なぜかいつも私の好みのデザインがことごとく入ってこない……この日も完全に空振り。

永康街は東京の代官山のような雰囲気で、小さくて魅力的なショップやカフェが集まっている。人気が出るようになってかなり地代が上がったのか、店の入れ替わりがめまぐるしい。

駅からはちょっと離れるが、赤を基調にしたインテリアが落ち着くyabooというカフェには、「虎面」と「豹頭」という猫がいて、気に入った客の膝に乗ってくる（猫カフェではない）。彼らに選ばれたらそれはもう、至福のときが味わえる。黒胡麻ケーキが絶品。

久しぶりに永康街を徘徊してみたかったけど、雨が酷くなってきたので台北駅の地下街をパトロールしながら帰る。台北駅の地下は、中山駅や雙連駅と繋がり、商店の数も膨大だ。何度行っても把握できないので、たまにこうしてわざわざ通ってみる。仕事場に近いY区は、中野ブロードウェイのようなアニメ関係のグッズがひしめくオタク地帯。年末なので何か特別な雰囲気になっているかもと期待したけど、Y区から外に出た太原路《たいゆぁんるー》の問屋街の方が、店舗用品が多いためかクリスマスと旧正月のデコレーションで真っ赤っかになっていて見応えがあった。

ホテルに戻ったら夜中までがっつり仕事。いよいよ来月からは仕事場に寝泊まりする。

1月

JANUARY | 2019

2019年1月『いよいよ寝泊まり開始、そして緊張のゴミ捨て』

1月X日　台北

年が明けて初めての台北、今日からいよいよ仕事場に寝泊まりすることに。まあまあ肌寒いけど、東京ほどではない。ただ中旬以降は10℃くらいまで下がることもあるので要注意。

12ヶ月以内に3回台湾に渡航すれば、台湾政府発行の「常客証」にネットから申請でき、プリントして持っていけば長い列に並ばずに専用レーンで入国審査ができるから便利だ(しかしこの後自動化ゲートが設置されたので、常客証がなくても早く通れることもあるようになった)。

仕事場に着くとバスルームのドアの工事が終了していた。なかなかいい感じ。しかしドアを替えてみると、シャワーや蛍光灯など、なんだか他の部分もいろいろ気になってくる。

2〜4月分の家賃を払いに大家さんの事務所へ。「なぜ月に数日しかこないのか、もったいないからもっと来い」と大家ママから熱く説得される。そして抱きしめて眠るようにと犬の写真がつい

細い路地を入って仕事場へ。横町物件は外装も内装もレンガが基本素材になっていることが多い

たクッションをもらう。明らかにスナップだったので、飼い犬かと聞いてみたら、友人の犬とのこと。それってその友人からの貰い物ではないだろうか……まあ、細かいことは気にしない。

ベッドは組み立てたものの、まだシーツや枕を買っていなかったので都心にあるＩＫＥＡのミニ店舗、敦北店へ。すると店頭に目を疑う広告が……！　なんと今だけＩＫＥＡオリジナルの「佛跳《ふーてゃお》牆《ちゃん》」がレストランにあるとのこと。直訳すると「坊さんも飛んで来る」という名のスープで、よい香りに坊さんも我慢できず飛んで来ると例えられ、高級食材と漢方を長時間煎じて作られる。それこそ欣葉のような正統派レストランにあったり、お金持ちが引っ越しの挨拶でご近所に配ったりするようなもの。見つけた自分が吹っ飛びそうになった。

早速レストランに行くと、おお～、みなさん食べてる食べてる。一杯８００円くらいなのでＩＫＥＡではかなりいいお値段。ナマコもちゃんと入った高級漢方スープがカジュアルに食べられる、というのはＩＫＥＡの理念に適っているのかもしれない。

シーツ、ベッドパッド、枕、枕カバー、掛け布団、タオルなどを買う。掛け布団はスウェーデンのＩＫＥＡホテルで一晩使ってみて、薄いのにその保温力の高さに驚いたRODTOPPA。ベッド周りは寒色系に、バスルームはうっすらピンクの壁なので、タオル類はグレーにした。

3月に発売する新刊の最終的な校正で、日中は基本的に引きこもる。ちょっと肌寒く麺類が恋しいので、夜は永康刀削麺《よんかんとうしゃおみぇん》にトマト牛肉麺を食べに行く。トマトが丸のまま入っており、特に前半は崩しながら食べるので感動する。汁はあっさりめだけど付け合せの酸菜（高菜漬けのようなもの）を入れると一味変わるから、飽きずに食べられる。やっぱり冬はこれだな。

最近は外出にバスをよく使う。Googleマップで目的地に印をつけ「経路」を押し、結果の中からバスのルートを選ぶ。外を見ていると思わぬ発見があるし、地理も把握できる。

1月X日　台北

大家さんが建物入り口に郵便ポストを付けてくれた。なぜか他の賃貸のみなさんより明らかに一回り大きいサイズで恐縮する。さっそくDMが投げ込まれていたので取り出して持ち帰り、テーブルの上に広げてみる。ボールペン付きの学習塾のチラシが、記念すべき初めてのDM。

この時期、街を歩くとあちこちにイチゴの屋台が出ている。ブランドもののイチゴではなく、小ぶりの丸っこいイチゴ。思わず1パック買って一気食い。甘過ぎず懐かしい味。

ランチはAwesome Burgerでピーナッツバターベーコンチーズバーガー。スクープですくってドカッと乗せられた濃厚ピーナッツバターが、厚手のパティとベーコンに抜群に合う。全体的にコッテリこの上ない私好みのバーガーで、一年に3回くらいはたまらなく食べたくなる。

1.暖かいと屋根から一斉に植物が芽吹く 2.うちだけポストが大きくて申し訳ない 3.ベランダの赤い花、残念ながら水やりできないので撤去 4.まだ何もないガランとした仕事場 5.記念すべき初DMはペン付きの塾チラシ(p.35) 6.竹製ベッド。幅が狭くて何度か落ちる

1.坊さんも跳んでくる？IKEA（p.34）のスープ 2.トマトを崩しながら食べる永康刀削麺（p.35）のトマト牛肉麺 3.歩いて1分の寧夏夜市 4.1月にはイチゴの露店が 5.ドン！と乗っかるピーナツバターがたまらない（p.35） 6.あっさり切仔麺にサクサク炸紅焼肉の阿國切仔麺（p.39）

一旦戻って仕事をし、夜は台湾人のメークアップアーティスト、ＭＩＧＵさんと夕飯。その後、仕事場見学。音楽スタジオの中の一つで、防音室だから好きな楽器も弾き放題。色の洪水のような部屋の中には、イメージしたものをすぐ書けるように大きな紙と画材があちこちにあった。ＭＩＧＵさんイチオシでデザインにも関わっているバンド、拍謝少年のＣＤをもらって帰る。

台湾の人々に会ってみて、日本よりも若い人がスモールビジネスに取り組みやすい空気を感じる。様々なパターンの賃貸があり、しかも安価。キャリアの寄り道や副業にも寛容だ。

1月X日　台北

頼んでいたオーブンレンジが入荷された。これで立体造形の仕事も存分にできる。仕事場までは台車を借りて運ぶが、予約時から親切だった店員さんが、ものすごい量のオマケをくれた。猫が2匹くらい入りそうな大きい中華鍋型フライパンと、ガラスの保存容器セット。料理ができない（コンロを買っていない）ので、犬クッションのお礼に大家ママに持っていくと、お返しにと台湾バナナとナッツをどっさりいただいた。台湾のバナナ、味が濃くて大好き。

夕方にはブリッジクマモトのみなさんが立ち寄ってくれた。本業はみなさんデザイナーで、熊本地震をきっかけに地元同業者を組織し、被災地支援の輪を広げている。Googleマップを頼りに自力で訪ねてきてくれるとのこと、ほぼ時間通りにチャイムが鳴りドアを開けに行くと、3人と聞いていたのに倍くらいの人数。しまった、仕事場に椅子が4脚しかない……しかしよくよく見ると大家さん母子と事務所の従業員さんがニコニコしながら混ざっていた。不安そうに通りかかった彼らを誘導してくれたらしい。どこまでもお世話になってしまう。

夜メシは阿國切仔麺《あーごうちぇじゃいみぇん》へ。台湾の切仔麺《ちぇじゃいみぇん》は沖縄のソーキそばに似たあっさりした味。ここの名物である油葱飯《ようつぉんふぁん》（葱油をかけたご飯）、炸紅焼肉《じゃーほんしゃおるー》（紅麹に漬けた豚バラ肉を揚げたもの）、芋の葉炒めも一緒にとる。台北の食事はポーションが小さいので麺とご飯を一緒にとってもよし、夕飯を1店目2店目とハシゴするもよし。一日中食べることを考えていられる幸せ！

1月X日　台北

黒板塗料を買いに行くついでに、小さな雑貨屋Plain Stationery Homeware & Cafeに立ち寄ってフィンランドのゾウの貯金箱を買う。コインランドリーで10元コインをしこたま使うため、貯金箱が欲しかったのだ。ほとんどが欧州や日本のもので、地元学生に人気の店。

引越し時に棚を一気に引き取ってくれたパラダイス山元さんが、ちょうどお仕事で台北に来ているとのことで、ご友人Sさん家族との会食に混ぜていただく。Sさんは日本から台北に移住を決め、天母という場所に近々カフェの出店を準備しているプロデューサー。集まったのは先月も訪れた欣葉、「IKEAに坊さんが飛んで来るスープがあった」と話題にしたら、それならぜひここでもと

1.貯めるのが楽しいフィンランドの象貯金箱(p.39) 2.MIGUちゃんの仕事場は色の洪水！(p.38) 3.昭和を思い出させる近所の横町 4.わりと集中して読書ができるコインランドリー 5.問屋街、太原路のハデハデな容器 6.ゴミの回収はなんとほぼ毎日(p.42)

ゴミは自ら出しに行くもの。慣れると結構合理的に思える

注文してくださった。素材のうまみが凝縮されていて、まさに特濃風味だ。

仕事場に戻ってからはいよいよ本格的にゴミ捨てミッションを遂行。今までは大家さんたちに甘えて捨ててもらっていたけど、今月からは街を周回するゴミ収集車に持っていく。回収車は16時と22時に「乙女の祈り」を響かせながらやって来る。分別を間違うと突き返されるらしいので緊張したけど、なんとか終了。これで少しは台北暮らしが板についたかも。

3月

MARCH | 2019

2019年3月『飲食店積極的開拓!』

3月X日　台北

2ヶ月ぶりの台北。講師をしているデザイン学校の卒業制作展は、今回も死闘だった……とりあえず生徒たちは全員卒業できたのでよしとして、いろいろなことは空に飛ばして台北へ。

仕事場に着くと、2月に野島が壁をきれいに黒板塗料で塗っていてくれた。完璧!

夜は台北で一人出版社を営む編集者、エミリーとその行きつけのバー小地方《しゃおでぃーふぁん》へ。店主による故郷台南の料理がすばらしい。平たい意麺《いーみぇん》や煮しめの滷味《るーうぇい》はもちろんのこと、ほんのり甘くてスパイスの効いた香腸《しゃんちゃん》(ソーセージ)が抜群で赤ワインにも合うことこの上ない。ウマいウマいと連呼していたら、次に来るときにまとまった量(冷凍)を売ってもらえることになった。謝謝!

台湾は食べるところでは食べる、飲むところでは飲むと場所を分けるのが基本なので、ちゃんと食事ができるバーはあまりないそうだ。逆に酒を置いてない食堂も多いので、夕飯とビールがセッ

全てPlay Design Hotel（p.46）1.サイエンスな雰囲気の部屋には台湾製のフラスコを使った照明が 2.隣が低層の学校なので遠くまでよく見える 3.連泊するとこの中からひとつ、台湾製の雑貨がもらえる 4.部屋に掛けてあったセンス抜群の日めくりカレンダー

Play Design Hotel、モダンアートに囲まれた部屋。左上のシャンデリアは宿泊者のバクテリア！(p.46)

私がタッチしたシャーレも
数ヶ月でバクテリアが増殖。
色や形に個人差あり

トじゃないと死んでしまう日本人は面食らうこともある。

今月は久しぶりに近所のPlay Design Hotelに泊まる。部屋数たった5部屋、その内装がすべて違うとてもユニークなデザインホテル。たとえばフューチャー・ラボと名付けられた部屋は、入り口の照明がガラスのシャーレでできていて、なんとその中では宿泊者が指で付けたバクテリアが培養され、にじんだ絵の具のように広がっていてとても美しい。どの部屋も台湾製のインテリアで固められ、小さいながら雑貨ショップも併設している。もう3月だけど、地元デザイナーFive Metal Shopによる日めくりカレンダーがすばらしかったので即購入。蛍光色2色使いで見た目は今風だけど、台湾の祝日や行事がそれなりにちゃんと盛り込まれているギャップがいい。来年は早く買おう。

3月X日　台北

朝食は李記豆漿《りーちーとうじゃん》で鹹豆漿。その後黙々と仕事。

キリがついたら文昌街《うぇんちゃんじえ》へにソファを探しに。200mほどの通りの両側に、様々なテイストのインテリアショップが並んでいる。ピンとくるところはマメに中を覗いたが、イメージ通りのものがなかなかない。北欧のビンテージショップが一番理想に近かったけど、今度は値段が高すぎて手が出ないので、あせらずもう少し時間をかけて探すことにする。

集英社 新刊案内 1

2020.1.10 〜 2020.2.9 刊行

集英社出版四賞授賞式。写真左より 濱野ちひろさん、高瀬隼子さん、姫野カオルコさん、上畠菜緒さん、佐藤雫さん

2019年度 集英社 出版四賞

◆第32回柴田錬三郎賞
『彼女は頭が悪いから』姫野カオルコ氏

◆第43回すばる文学賞
『犬のかたちをしているもの』高瀬隼子氏

◆第32回小説すばる新人賞
『しゃもぬまの島』上畠菜緒氏
『言の葉は、残りて』佐藤 雫氏

◆第17回開高健ノンフィクション賞
『聖なるズー』濱野ちひろ氏

タイトル・内容は一部変更になる場合があります。表示価格は本体価格です。別途、消費税が加算されます。
各書籍の末尾についている数字はISBNコードで、それぞれの頭には978-4-がつきます。

www.shueisha.co.jp

1月24日発売

猫君《ねこぎみ》

【電子書籍版も同時配信】

二十年生きた猫は、人に化けて言葉を操る妖怪「猫又」になる——。『しゃばけ』の著者が贈る、新米猫又・みかんの大冒険。愉快痛快、お江戸ファンタジー開幕！

畠中 恵

本体1,450円
08-771692-4

さいはての家

不倫カップル、新興宗教の教祖だった老婦人…追いつめられた人々が、ひととき暮らす、古い庭付きの借屋。人生の行き止まりとかすかな光を描く連作短編集。

彩瀬まる

本体1,500円
08-771691-7

夜は日本から一人旅の友人と待ち合わせて、松江自助火鍋城《そんじゃんつーちゅーふぉぐぉちゃん》へ。石鍋に自分で具をじゃんじゃん放り入れるワイルドな鍋で、火と食材を目前にした人間たちがはしゃぎまくっている。混雑を避けるべく遅めに行って並び、その間に最初の肉を(豚、牛、羊の中から)決める。席に着いたらお店の人が肉とスルメを親の仇のようにダイナミックに炒めてくれるので、スープが入ったらあとは自分たちで好きなものを棚からとって入れる。時間が経つにつれいいダシが出てくる。

鍋といえば、台北では中国東北地方の酸菜白肉火鍋《すぁんつぁいばいるーふぉぐぉ》という、発酵して酸味の出ている白菜漬けと豚バラ肉がメインの鍋をよく食べにいく。庶民的で気のおけない長白小館《ちゃんばいしゃおくぁん》、整然とした圍爐《うぇいるー》、そして完全セルフの学食みたいな台電励進餐廳《たいでぃえんりーじんつぁんてぃん》などなど、どこも個性的ですばらしく、なにより自分でタレを調合するのが楽しい。基本的に10数種類をブレンドするのだが、私は腐乳、ゴマ油、醤油、砂糖、ニンニク、ラー油に香菜と米酢が多めというバランスで。何度でも食べたくなる鍋だ。

友人に仕事場を見てもらおうと一緒に戻ると、入り口で犬を連れた女性が立ち尽くしていた。何事かと聞くと同じ建物の住人で、入り口の扉に鍵が刺さったまま抜けず、もう1時間も悪戦苦闘しているという。代わる代わるみんなで試すがなるほど抜けない。スマホを部屋に置いてきているらしいので、私が大家Kさんに連絡して来てもらい、別の入り口から入り開けてもらってことなきを得た。老犬トトくん、早く帰りたがっていてちょっとかわいそうだった。

気温が下がると猛烈に食べたくなる長白小館(p.47)の酸菜白肉火鍋

1. タレを自分で作る醍醐味、酸菜白肉火鍋(p.47) 2. これぞごった煮!な松江自助火鍋(p.47) 3. 小地方(p.43)の意麺は本場台南の味 4. たまには西洋料理も。行冊(p.50)のイチジクサラダ 5.6. ご近所四喜堂(p.51)で宜蘭の魚介、初めてのフィンガーライムはプチプチと爽やか

3月X日　台北

ユカデザイン全社員（一人）の意向を反映し、仕事用のテーブルをもっと大きく、そしてバスルームのシャワーヘッドとシャワーカーテンレール、蛍光灯を変えることにした。テーブルはＩＫＥＡで最後まで悩んでいた大判なアカシア無垢材にし、椅子を2脚買い足す。謎の「4日後配送ルール」のため、善は急げとＩＫＥＡに行ったらなんと配送は今夜、組み立てサービスを使うなら明日来るとのこと。よくわからないがものすごく早いのでそれでお願いした。

夜、本当にＩＫＥＡから配送があった。部屋に全て運び込んだら、行冊《しんかー》へ。Play Design Hotelオリジナルのグルメマップで見た、ヘルシーな素材を使った地中海料理の店。ヨーロッパ方面の料理を台北で食べていなかったので、行ってみることに。

レンコンとリコッタチーズの前菜、イチジクのサラダ、牛肉のパスタ、そしてラムに大満足。建物は歴史的建造物であった病院をリノベーションしていて、床には木製のブロックを３５０００本も使うという凝りに凝ったインテリア。上階は有料の図書スペースになっていて、天井がものすごく低いところに靴を脱いで上がるという、落ち着く空間になっている。

3月X日　台北

朝食専門店の日新現做早餐店《りーしんしぇんつぉざおつぁんでぃえん》へ。ここもPlay Design Hotelが作った周辺朝食マップに載っていたところ。今日はハムチーズのトーストサンドとミルクティーにした。オーソドックスなものをサッと食べたい、という気分のときにぴったりの素朴な味わい。昼前には閉店してしまう。

先々月にもおじゃました、素敵な内装のE社で打ち合わせ。そのあと仕事場の近くの問屋街、太原路《たいゆぁんるー》でトークイベント用のプレゼント探し。台湾形のクッキー型、台湾の地図がプリントされた小さなグラス、真っ白い薬瓶など。生活雑貨の小北百貨《しゃおべいばいほぅ》ではレトロな文具、トランプ。これらを過ぎた日の日めくりカレンダーで包むつもり。こういう細かい作業には喜びを感じてしまう。

太原路のカフェ、角公園《じゃおこんゆぇん》でちょっと休憩。一階の入り口は小さいけど、階段を上がると中の広さに驚愕する。ゆったりしたインテリアで居心地は抜群、メニューも多く自然栽培による中国茶をモダンなスタイルで楽しめる。高い天井をよく見るとトタンがむき出しで、飛行機から台北を見下ろすとトタン屋根がものすごく多いのはこういうことかと納得した。

植物に埋もれた入口がとてもいい雰囲気でずっと気になっていた、すぐ近くの四喜堂《すーしーたん》。調べるととても評判いいけど「予約が困難」「プライベートキッチン」などの書き込みが。ダメ元で直接行って聞いてみると、運良く20分後に席を用意してくれることに！　店主は宜蘭で水産会社を営んでいるので料理は宜蘭の魚介が中心。お任せメニュー5品は中華風あり和風ありの創作料理で、チューブのような形のフィンガーライムなど初めての食材も多く感動。そして酒は持ち込みが基本……なことは知らなかったので、ワインをちょっといただいてしまう。結局8品も出していただき

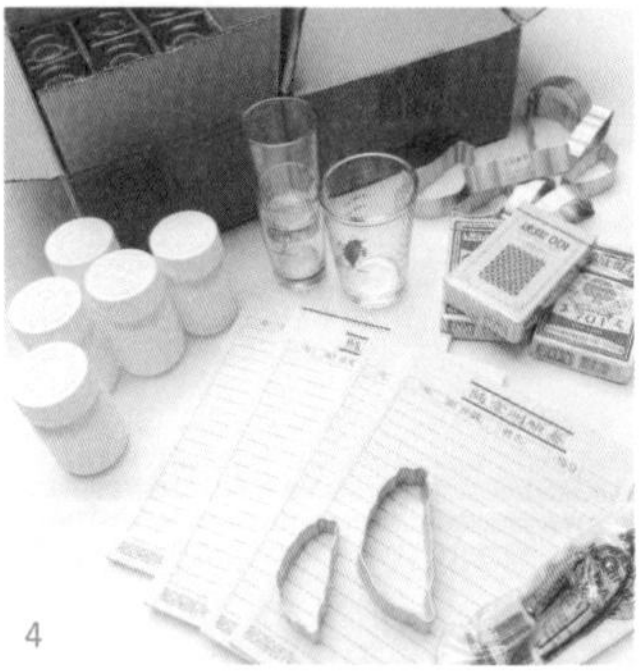

1. 黒板塗料を塗って、家具を入れてなんとか整った仕事場 2. 日本から担いでいったDRAW A LINEの照明(p.22) 3. すぐ近くの太原路(p.51)は店舗用品の問屋街 4.5. その太原路でトークイベントのプレゼントの買い出し。日めくりカレンダーで包んで完成!

小さい入り口の先に広々とした店内。ギャップが楽しい角公園(p.51)

超満腹に。

たまたま店にいた店主の妹、Jさんは店の隣に事務所を構えるインテリアデザイナーで、主に店舗やホテルのデザインに関わっているそうだ。みなさん初めてなのに何度も来ているように接してくれるのが嬉しい。ワインのお礼がてら、またすぐ食べに行こう(Facebookより要予約)。

3月X日　台北

昨日とても楽しかったので、これからは積極的に近所の飲食店を開拓することにした。

看板もない、まるで壁が吹き飛んで家の中からテーブルが突き出したような店。あまりにオープン過ぎるから今まで遠巻きに見ていたけど、今日こそは行ってみる。

座れるのは4〜5人。奥に「粥」や「麺」の文字は見えるから店には違いない。ちょうど客のいない時間だったようで店員さんが手招きしてくれ、すんなり席に着くことができた。粥か麺だけの店に見えたが、実はモツの専門店だった！　まずは粥か麺かを選び、次々といろいろな部位のモツを見せてくれ、食べるかどうか聞いてくれる。目の前にハツ(心臓)が丸ごとドーンと登場することも。どれも雑味のないクリアな味で、かなり食べても驚くほど安い。昼間からものすごいパワーチャージをしてしまった(後日「POPEYE」の台湾特集でこの店がちょっとおしゃれに紹介されていて驚く。店の名は大稲埕米粉湯《だーだおちぇんみーふぇんたん》であることもわかった)。

COLUMN

台北の足裏マッサージ

小さい頃から足の裏を触られるのが大好きで、足裏マッサージのない生活は考えられない。台北では街の至る所に大小のマッサージ店があり、小さな店はかなり手頃（日本の半額以下）。技術はおしなべて信用できるので、マッサージして欲しい場所や力加減を的確に伝えることができれば、満足度は自ずと高くなる。強くして欲しい時は「大力《だーりー》」、弱くしてほしいときは「小力《しゃおりー》」。痛かったら「痛《とん》」、気持ちよかったらすかさず「舒服《しゅーふ》」。足裏だけやってほしいときは「只有脚底《じーようじゃおでぃー》」。

チェーン店に行くなら、サービスはあっさりだけど腕は確かな「活泉《ふおちゅえん》」。手厚いサービスを所望する友人に教える場合、あるいは人数が多いときは「6星集足体養身会館《りうしんちーぞうてぃーやんしんふいぐあん》」「不老松《ぶーらおそん》」へ。足取り軽く台北を歩こう。

台北の朝食

朝の6時にやっと床に着くという超夜型の私が台北で早起きできるのは、朝食のバリエーションが多くてしかも安いからに他ならない。最もよく食べるのが鹹豆漿《しえんとうじゃん》。豆乳に酢を投入し、おぼろ豆腐のようにユルく凝固させたもの。ザーサイや小エビがいいダシとなっていて、店によって少しずつ風味が違う。これに餡なしの万頭や、薄く伸ばした小麦粉の焼餅を合わせる。次が台南のご当地食で米粉の茶碗蒸し、碗粿《わーぐい》。豚肉や卵の黄身、椎茸などが入っていて、甘辛いタレとニンニクを掛けるもので、店によりかなり味の差が感じられる。3つめはあっさりと軽いサンドイッチ（三明治《さんみんじ》）のセット。昼頃に終わる朝食専門店も多いので要注意なのだ。

朝食のためなら早起きできる！ 1.朝食の定番、世紀豆漿大王（p.16）の鹹豆漿 2.台南のご当地食、呉碗粿之家（p.18）の碗粿 3.さくさくのパンは近所の日新現做早餐店（p.50）で 4.雙連市場1階屋台のボリューム満点炭火トースト 5.6.朝からモツ入り粥でパワーチャージ（p.54）

台湾の原住民族、タイヤル族の美食ツアーに行ってみた（p.21）

4月

APRIL | 2019

2019年4月
『友人たちのアテンドで新たな台北発見!?』

4月X日　台北

着いてすぐ、E社にキャラクターの立体造形を届けに行く。そして帰りがけに93蕃茄牛肉麺《じうしーさんふぁんじゃーにゅーろうめん》のトマト牛肉麺へ（93はここの番地）。周りには学校が多いようで男子学生がわらわらと集まってくる。肉は薄めの量多め、トマト濃度は全体的にあっさりだけど、付け合せの漬物がいい塩加減で、麺によく合う。白いご飯も頼みたくなる（が周りは食べていない）。

4月X日　台北

今日から数日、東京から夫と友人たちがやってくるので、しばしアテンドに専念。まずはみんな大好き小籠包の鼎泰豊本店……ではなく、中山駅にある三越地下の支店へ。早めに行けばあまり並ばずに入ることができる。内装がちょっとファミレスっぽいけど、旅行者は時間が貴重なのでここに。散歩をしながら仕事場に来てもらい、しばし話し込む。

寧夏夜市《にんしゃーいえしー》を案内し、大好きな劉さんの芋団子~阿桐阿寶四神湯の四神湯とちまき、豆花というゴールデンコースを強制的に堪能してもらい、早めに解散。

4月X日　台北

朝飯はみんなで雙連駅近くの世紀豆漿大王《しーじーとうじゃんだーわん》で鹹豆漿、そのまま雙連朝市《しゃんりぇんちゃおしー》を散策。屋台の間に忽然と現れる学業の神様、文昌宮で記念スタンプを押しまくる。地下道の誠品R79《ちぇんぴんアールちーじう》を見ながら一駅歩き、中山駅の誠品生活南西店《ちゃんぴんしょんふおなんしーでぃえん》の4階にある神農生活《しぇんのんしょんふお》へ。広くはないけど台湾産の調味料や乾物が厳選されているので、ピーナッツペーストや蜂蜜、ガチョウの葱油などのお土産ならここで済んでしまうことも。友人は狼柄の茶葉とティーカップのセットを。

友人が靴を買うというので、小さな服飾店がひしめく城中市場へ。念入りに何足も試着し、納得いくものを手に入れることができたようだ。自分ではなかなか選ばないコースが新鮮。その後商売の神が祀られている行天宮《しんてぃえんこん》へ。参拝の仕方は看板に記してあるが、案内員が何人もいて直接丁寧に教えてもらえる。いつも外から見るだけだったが、中は荘厳で非常に広い。

そしてこの寺の地下にある小さな占い街へ。占い師が机を出して並んでいるとは知らなかった。日本語ができる人を選び、友人が15分ほど視てもらう間、向かいのベンチで待機。

今日はちょうど清明節(墓参りをする日)で、道を練り歩く道教の神の使い、七爺と八爺とすれ違

雨が多い台北の、ありがたい晴天。屋台が並ぶ前の寧夏夜市

1.書道はカタチから！ 蕙風堂(p.62)のハリネズミ文鎮 2.道でバッタリ七爺八爺、子供たちの人気者(p.59) 3.罪悪感ゼロのおやつ、豆花荘(p.23)の豆花 4.龍縁(p.62)の鶏肉ロール 5.紅拾玖(p.63)中華風朝食セットの大根餅 6.誠品R79(p.59)は地下鉄一駅分の長〜〜い書店

う。七爺は異様に背が高く、二人とも黒い顔の面を付けている。死者を地獄に連れて行く仕事をしており、人間だったときから仲良し凸凹コンビだったそうな。

4月X日　台北

適度に分かれ自由行動。午前中は台北駅の地下、黄色で区分けされているY区の一大おたくゾーンへ。フィギュア、ガチャガチャ、ゲームソフトなど、中野ブロードウェイや秋葉原と同じような空気。コスプレ民ともときおりすれ違う、最も海外に来たことを感じさせない場所。

昼はごく普通の老舗食堂に行きたいというリクエストで龍縁《ろんゆぇん》へ。魯肉飯、ゆで卵の煮物、青菜炒め、それとここの看板料理である柔らかい鶏肉ロール。本当は隣の三元號《さんゆぇんはお》という店の方が好みの味の魯肉飯なのだが、改装中なのでこちらで。単身男性客の多い安定の家庭料理。

午後は古道具屋の蔵旧尋宝屋《つぁんじうしゅんばおうー》に行く。100年以上前の家具や食器、人形、誰かの色紙や記念写真などなんでもあり、床も軋む超絶カオスな空間。靴を脱いで上がる畳の部屋もあり、日本統治時代のものと見える火鉢やちゃぶ台やタンスも並ぶ。圧倒的な情報量にクラクラし、ものすごく消耗するけど、しばらくするとなぜかまた行きたくなるという中毒性のある店だった。

そのまま近くの師範大学向かいにある書道用品の蕙風堂《ふいふぉんたん》へ。来月から東京で書道を習い始めるので、テキトーさが愛らしいハリネズミの文鎮や、書道練習本と練習紙を購入。地下にはおびただしいほどの書道関連の書籍が並ぶので、一回で全て見るのは無理だった。

夜は全員集合しカルフール（家楽富《じゃらふ》）へ行き、買い物三昧で無事ツアー終了！

4月X日　台北

朝は早起きして赤峰街《ちーふぉんじえ》のサンドイッチ屋、紅拾玖《ほんしーちう》へ。セットメニューがお得なので、ベーコンエッグサンド、大根もち、ミルクティーのセットに。その後は昼まで仕事。

午後は、やっと予約の取れたモダンチャイニーズのRAWへ。厳選された地元食材を使ったメニューはどれもショーアップされていて、自分で巻いたりサンドイッチしたりする作業もあり、食事することが一つの体験として提供される。たとえば春のピクニックを意識して、芝生に乗せられた豆のスープや、川を泳ぐ魚を模した蕪と鶏肉のメインなど、12〜13品が3時間かけてゆっくり出てくる。素材や調理法が珍しいものも多く、解説が聞き取れず謎に終わったものも。カトラリーは専用の引き出しから出して自由に使う。思っていたよりカジュアルで楽しかった。

次の約束に遅れそうになったので、急いでUberで移動。日本でアプリを入れていけばそのまま日本語で操作できるのでとても便利だし、タクシーよりも少し安い。

編集者エミリーと週末だけ開かれる建國假日花市《じぇんぐおじゃーりーほあしー》という植木市へ。高速道路下に数えられないくらいの植木の露店がみっちり並ぶ。エミリーはジャスミンを、私たちは仕事場のベランダに置くサ

厳選された台湾食材によるアトラクションのようなレストランRAW（p.63）

高温多湿な台北のベランダで、ぐんぐん育つサボテンたち

ボテンを買いに。かなりじっくり見た末に、龍骨という種で、木のように枝分かれした80〜90㎝くらいのまあまあ大きなものにした。戻って置いてみると、殺風景だったベランダの雰囲気がガラッと変わる。目のやり場があるとなんだか安心するものだ。

満腹気分が続いているので、夜は寧夏夜市《にんしゃーいえしー》の劉さんの芋団子。夜中まで仕事。

4月X日　台北

食事以外は夜中までずっと仕事デー。朝はRAWから持ち帰ったパンとゴマバター。食べ残しを持ち帰ることを「打包《だーぱお》」といい、たいていどんなお店でも要望に応えてくれる。

まだ昨日の食事の余韻がのこっているため、昼はシンプルに近所の屋台の素食弁当。夜はお願いしていた台南のソーセージを受け取りに、バー小地方《しゃおでぃーふぁん》へ。ちょっと飲んでいると、カウンターのお客さんからベトナムで仕入れたという、小ぶりの青いグアバがカットされて回ってきたので、言われた通り現地風に塩をつけてかじってみる。甘さが引き立って赤ワインにぴったりな味になる。

おそらく泰小姐豆漿店《たいしゃおじえとうじゃんでぃえん》で売っている、私のベストオブ肉団子（獅子頭）も赤ワインに合うに違いない。まだ台北でワインを探すのに慣れていないので、東京からせっせと運んでいる。

4月X日　台北

朝7時半頃、仕事場の向かい側の夜市の屋台が格納されている倉庫から、台湾演歌が爆音で聞こえてきた。日本の演歌とはほぼ同じ曲調なので、爆音でもまあまあ心地よい。遅くまで働いているのに、みなさん朝も早い。

階下の大家さん事務所に行き家賃の支払いがてら雑談。台北以外にはどこに行ったか？　と尋ねられ、「台南がとてもよかった、碗粿《わーぐい》（米粉の茶碗蒸し）がすごく気に入って、ここでもしょっちゅう食べている」と言ったらなぜかものすごくウケてこちらがびっくりした。どこが爆笑ポイントだったのか聞きたかったが、そこを深く探る語学力がないのがもどかしい。そしてまた今月も、なぜいつも少ししか滞在しないのか、もっと居ればいいのに……と諭されて仕事場に戻る。

やっとコッテリ気分になったので、東京に帰る前にAwesome Burgerでいつものピーナツバターベーコンチーズハンバーガー。台北を腹いっぱい詰め込んで、飛行機に。

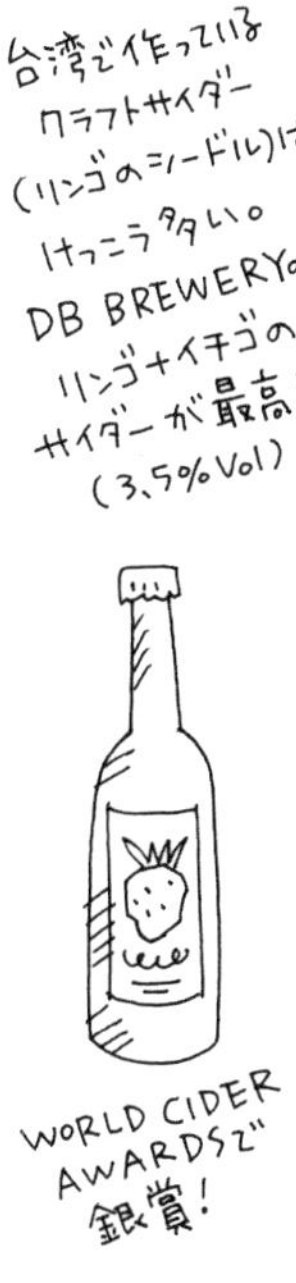
台湾で作ってる
クラフトサイダー
(リンゴのシードル)は
けっこう多い。
DB BREWERYの
リンゴ+イチゴの
サイダーが最高!
(3.5% Vol)
WORLD CIDER
AWARDSで
銀賞!

1.2.高架下の大規模な植木市、建國假日花市(p.63)ではなんでもそろう 3.4.すでに100個は食べている、愛するタロイモ団子(p.10) 5.バーのカウンターにいたら回ってきた青いグアバ、塩をつけて 6.私のベストオブ肉団子、泰小姐鹹豆店(p.66)の獅子頭

16時前になると仕事場の前の道を、いくつもの屋台が夜市に出かけていく

5月

MAY | 2019

2019年5月
『いよいよ夏、金物問屋で夜市仕様のテーブルと椅子を買う！』

5月X日　台北

マイレージが貯まったのでANAで台北へ。ちょっと早めに羽田に行き、ラウンジで仕事する。ずいぶん前に搭乗ポイント（マイレージではなく、飛行機に乗ることによって付くポイント）を貯めまくって獲得した特典を維持しているので、エコノミーでもラウンジが使えたり、ビジネスクラス同等の荷物が持てるから助かっている。

私の区切りによれば、台北は5〜10月の半年間が夏、11、12月が秋、1、2月が冬、3、4月が春。なので5月といえばもう夏で、Tシャツで問題なく過ごせる。仕事場に着くと、ベランダの龍骨サボテンが5cmくらいにょっきりと伸びていて驚く。

夜は東京から来たクライアントさんと雲南料理の店、人和園で食事。あっさりした味つけで、素材もキノコや野菜が多くヘルシーで日本人に人気。キノコを細〜く裂いて香ばしく揚げたもの、グラグラ沸かしたスープを客席に運んで仕上げる麺などが雲南らしい。キノコの料理は身体に合うのか、食べた夜は普段にも増してぐっすり眠れる気がする。

5月X日　台北

台湾には客家人が多く、なんとテレビには客家チャンネルというのもある。客家の料理番組、ドラマ、ドキュメンタリーなど客家語で放送するなどしてその文化を守っている。街には客家料理も多いのだけど、今日はちょっと珍しく、まだ新しい客家風ファストフードの甘妹弄堂《がんめいろんたん》に行ってみる。名物は客家料理店で飲んだことがある、ナッツ類、茶葉、ゴマなどをすりつぶして豆乳で割った擂茶豆乳。濃いめの味付けの肉炒め（梅干扣肉）を具にしたもち米おにぎりと、適度な酸味のある白菜の漬物を卵クレープで巻いたもの（台式泡菜蛋餅）を注文する。いつもと違う味のバリエーションを手に入れて満足。特にクレープはすぐまた食べに行きたい味だった。

戻ってひたすら仕事。窓を開ければ風が通り夜はまだエアコンはいらない。ただ隣の家のおかずのいい匂いが漂ってくるので、作業に集中するのは難しくなる。

夕飯は徒歩圏にある牛肉料理の老舗に行ってみたけど、ちょっと口に合わなかった……。まあ、そういうこともあるよね。気を取り直して、夏といえばマンゴーの季節。かき氷専門店の冰讃《びんさん》に10月までのマンゴーかき氷を食べに行く。この夏は何杯食べられるだろう？

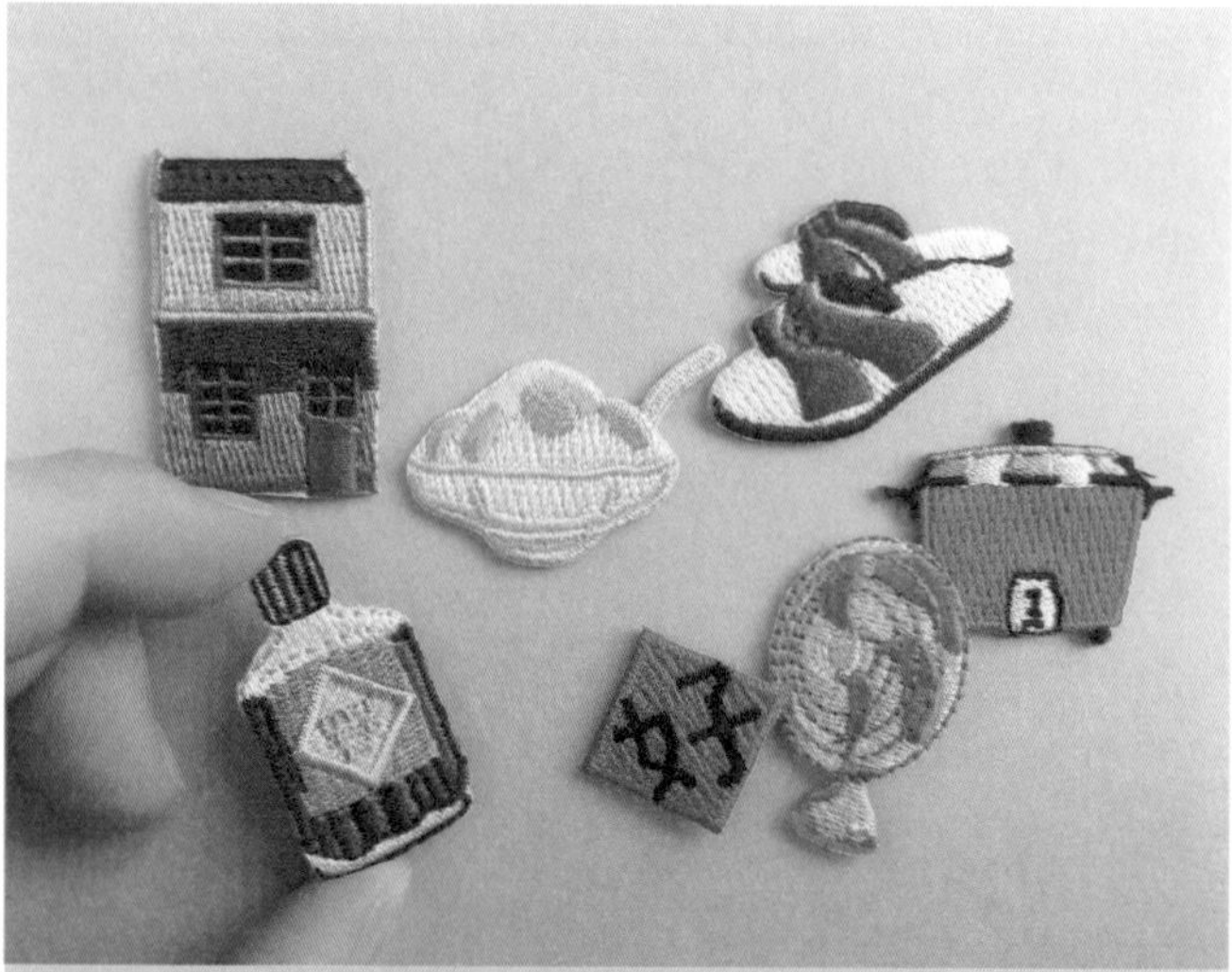

小さな箱に入ったMOGU(p.74)のワッペン。モチーフは誰の家にもある台湾製の雑貨や食品

1.180°ぱたっと開くコデックス装が素敵なMOGU（p.74）のノート2.ユニークな客家ファストフード（p.71）3. 5月からは冰讃（p.71）で大盛りマンゴーかき氷！4.乾物屋街の迪化街でお菓子の量り売り5.6.迪化街の地衣荒物（p75）でアンティークの小皿を購入

5月X日　台北

関西から来た友人と、朝早く待ち合わせて四海豆漿《すーはいとうじゃん》で鹹豆漿。帰りに昼飯分をテイクアウトして、会っていなかったここ数年を仕事場で埋め合わせるように話してから、夜まで仕事。

夕飯はサンフランシスコから休暇でやって来た友人のリクエストで酸菜白肉火鍋の圍爐《うぇいるー》へ。酸菜白肉火鍋は3月の頃にも書いた通り白菜漬けと豚バラの鍋で、私の大好きな鍋。周りにもはまっている友人が多く、胃袋仲間とはゆるいファンクラブも作っているくらいだ。ただ夏場は閉めてしまう店もあるので、行くならできれば肌寒い季節がいい。

ここからは誠品書店敦南店が歩いてすぐなので立ち寄る。誠品書店に来たらとりあえず拙著を探すのが自分だけの約束事で、1冊でも見つけたらホッとしていい。この店は私の『スーパーマーケットマニア』という本の初の翻訳版で小さなフェアを開いてくれた思い出の店だけど、不動産事情で2020年の5月末に閉店するらしく、とても残念。

友人のホテル近くの赤峰街《ちーふぉんじぇ》にある雑貨屋、蘑菇《もぐ》(MOGU)で台湾らしいお土産探しをお手伝いする。ここでは台湾人が日ごろよく目にしている、日用雑貨がモチーフの小さなアップリケが好評だ。

5月X日　台北

午前中、大家さんが手配してくれた業者さんが来て、風呂場に新しいシャワーやシャワーカーテンのレールを取り付けてくれる。うっかり冷たいお茶を差し入れしてしまったが、中華圏ではある年齢以上の人は、冷たいものに手を出さないのだった。

昼は乾物問屋街の迪化街《でぃーほあじぇ》にある妙口四神湯《みゃおこうすーしぇんたん》へ。ずいぶん前から台湾の友人に強くすすめられているのに、何度訪れても臨時休業などでありつけないという縁の薄い店。この時はやっと開店していたが、四神湯はなく肉まんだけ……しかしこれがまたジューシーでボリュームがあって、群を抜いてうまかった！　近隣で久しぶりに茶葉梅（烏龍茶葉につけた梅）を買う。

迪化街名物の乾物やカゴにはそれほど触手が動かないが、仕事場用の皿やカトラリーを買った硬派なユーズド雑貨の店、地衣荒物《でぃーいーほぁんうー》Earthing WayやA Design & Life Projectにはちょっと渋くて甘くない生活用具が並び、佇まいも小さい博物館のようで心地よい。

さてここからが今月の滞在のメインイベント、迪化街から10分ほどの川沿いにある五金行（金物）問屋が集中している環河南路一段《ほあんはーなんるーいーとぅあん》へ。向かい合わせで数百メートルに渡って主に金属製品の問屋が並び、看板が無造作に乱立している光景には心からワクワクする。夜市でよく見かけるステンレスのテーブルと椅子を買い、ベランダで飲み会しようという計画だ。

テーブルも椅子も同じ店で買えると思っていたら別々で、テーブルはテーブルの、椅子は椅子の店、と見事に細分化されている。テーブルにしても店によって微妙に品揃えと値段が違うので確かめながら歩くが、小売りでも嫌な顔はされないので安心。何件か回って、適度な大きさの折りたた

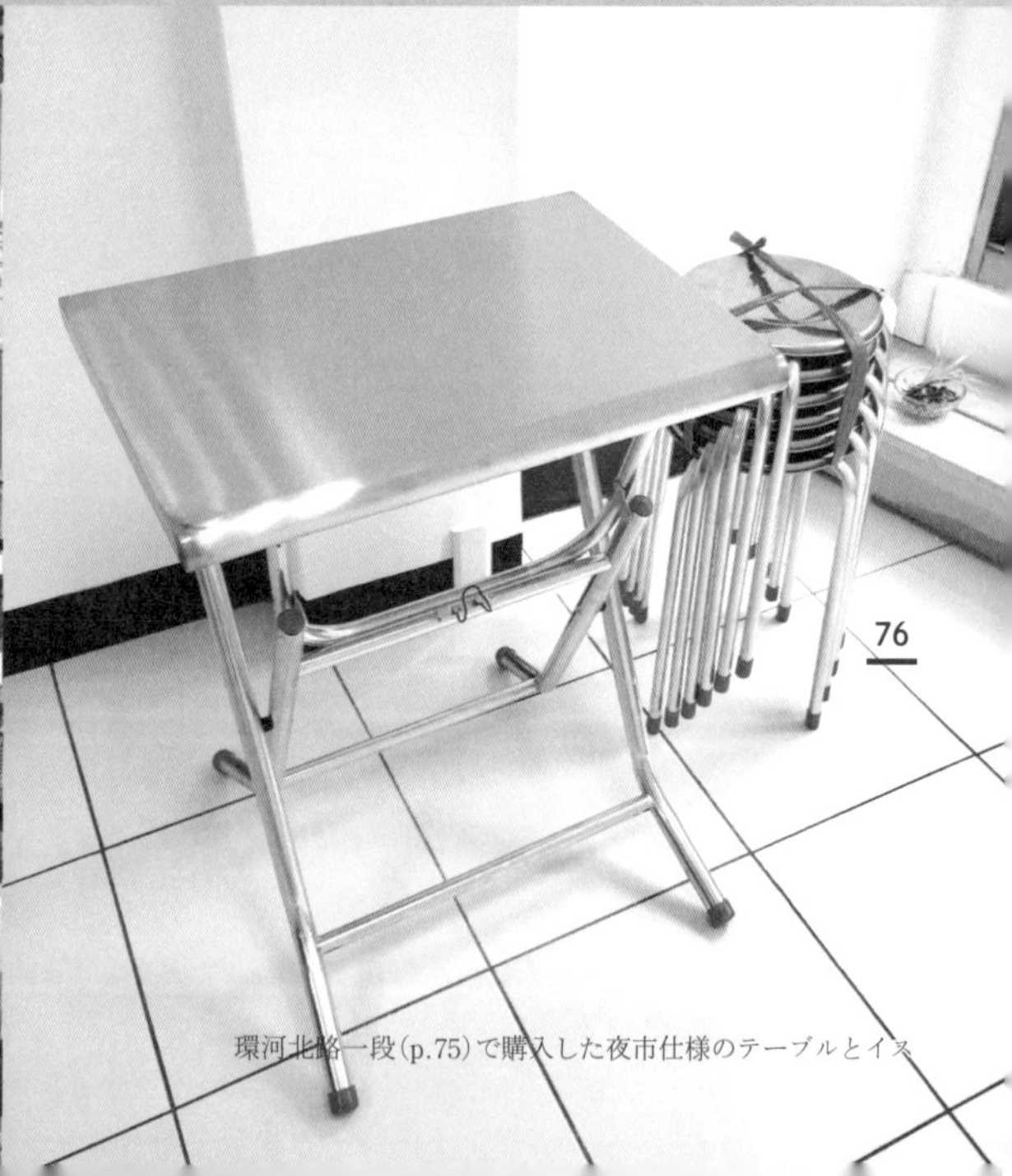

環河北路一段(p.75)で購入した夜市仕様のテーブルとイス

1.2. とびきりスタイリッシュな台湾版「BIG ISSUE」(p.24)。デザインはアーロン・ニエ氏 3-6. 台湾の至宝ともいえる出版社兼書店の漢聲巷門市(p.24)。書籍以外にも工芸品、オリジナルの中国茶などが並ぶ

みテーブルと椅子6脚を買うことにした。全部で4000円ほど。椅子は座面が丸くフラット、シンプルだけど愛嬌もあるデザインで、「ほぼ日《にち》」でも紹介され日本人の間でちょっとした人気が出ているらしい（のちにオープンの東京日本橋の誠品生活にも入荷していた）……と、ここで先日パラダイス山元さんと一緒にお会いした、プロデューサーのSさんから電話が。明日打ち合わせで伺う予定だったけど、急遽これから集合できないかということになったので、テーブルと椅子の購入と運搬は野島に任せ急いで向かうことに。

Sさんのオフィスは天母にあり、東京でいえば二子玉川のような低層で高級な住宅が多い地域で、台北中心とは雰囲気が全く異なる。オフィス階下は東京彩健茶荘《とんちんつぁいじぇんちゃーじぁん》というカフェとイベントスペースになる予定で、夏のオープンに向けて工事が進んでいた。そのカフェでお茶とともに供される和菓子のデザインのご依頼を受けたので、スタッフのみなさん、和菓子職人さんと意見交換をする。台湾らしくて可愛らしい形を、来月の打ち合わせまでに造形することになった。カフェには立派なウォークイン冷蔵庫や中庭があり、完成が楽しみ。帰りがけに天母の不動産屋の貼り紙をじっくりと見る。綺麗な内装の立派なマンションの写真が目立つ。

夜に仕事場に帰ると、珍しく階下の大家さんの事務所に煌々と灯りがついていた。

5月X日　台北

今日もまた業者さんに来てもらい、風呂場の細かな工事の続き。一ヶ所手を入れるとどんどん換えたくなってしまう。大家Kさんに昨日は残業だったのかと聞くと、なんと私たちのために家庭教師を呼んで日本語を勉強し始めたというから頭がさがる。うかうかせずにこちらもちゃんと勉強せねば、甘えっぱなしではいけない。ついでに昨日買った夜市仕様のテーブルと椅子を大家Kさんに見せたのだが、期待していたほどウケてはくれなかった……。

3月に訪れたすぐ近所のプライベートキッチン、四喜堂《すーしーたん》に再訪して先日のお礼にと日本酒を持って行く。今回もまた最初に聞いたメニュー以上の料理がどんどん運ばれ、あっという間に満腹に。宜蘭の魚介というコンセプトは一貫して変わらず、少しずつその種類が変わっている。今回は白身魚の焼き物が絶品で、和食に通じる味付けだった。そして今夜も店主の妹さんのインテリアデザイナー、Jさんが忙しい仕事の合間に来てくれてちょっと話すことができた。台湾のTEDに出演して店舗デザインについて話したというので、戻ってから早速検索。堂々としていて立派であった。

そんな姿に刺激を受けるも、満腹すぎて仕事にならないので早々に寝る。明日は午前中に洗濯や掃除をして、早めに空港へ行き仕事をすることにした。

端午の節句に手作りされるちまきの中身。各家庭で少しずつ違う(p.83)

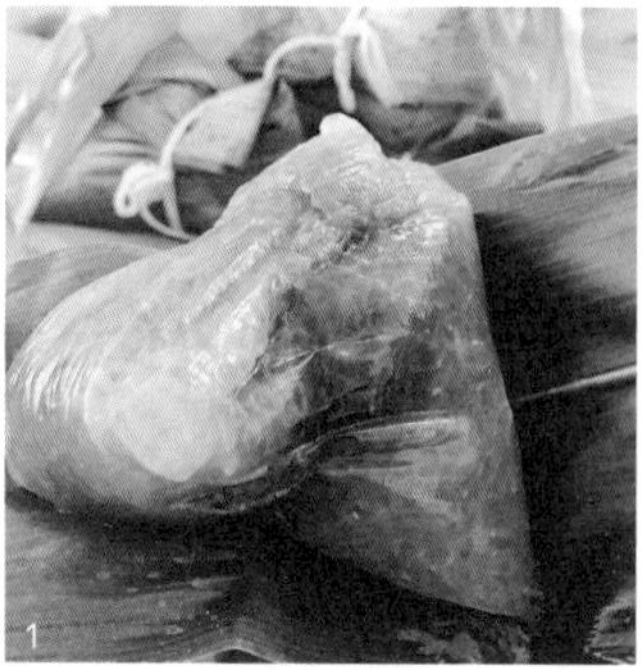

1.あんこ入りの冷たいちまきも作られる 2.友人が買ったライチを引き取る 3.しっかりした味付け、客家料理の晋江茶堂（p.83） 4.小地方（p83）でまとめ買いした香腸を仕事場でふるまう 5.友人たちにメッセージを書いてもらい仕事場が華やかに

6月

JUNE | 2019

2019年6月
『毎朝ちまきを食べるシアワセと、爆裂工事音』

6月X日　東京〜台北

夜中の3時すぎに近所を通る深夜バスで羽田へ行き、LCCのPeachにチェックイン。出発までちょっと仕事をしたかったので、出発ロビー1階上のやや左方にある、テーブルとイスだけが20セットほど並んでいる謎エリアに行く。秋には学生時代の友人たちが同じLCCで来るというので、改めて初心者目線で空港を見てみる。最近は夜中でも人が多く、仮眠しにくくなってきた。寝たい場合は早めに出国審査をして、ゲート付近で寝た方がよさそう。

桃園空港から空港快速で台北駅に行く際に交通カード「悠遊カード」を購入してもらうつもりだけど、街中のコンビニの方がいろいろなデザインが揃っているので、コレクター気質の友人ならば片道切符で都心に向かってから、そのあとに買ってもらうのがいいだろう。

仕事場に着いたら真っ先にサボテンをチェック、枝の先に新しい株のようなものができている。夏も本番に入り湿度もかなりのものなので、恐ろしいほどの育ちっぷりだ。ふと周りを見ると近所の屋根に生えている雑草類も勢いを増している。

日本からSharkのハンディクリーナーを持ってきて大正解だった。デザインはものすごくシンプルでどこに置いても目立たず、長いノズルをつければ立っていても使えるし、もちろん吸引力にも問題ない。これは東京の事務所にも欲しくなった。

野島が大家さんからもらったというちまきが冷凍庫にあった。5月の端午の節句に、台湾では各家庭がもち米と豚肉などを笹で巻いたちまきをたくさん作り、親類や近所に配る。数百個作る人もいるというので一大事業だ。大家さんの他にエミリーのお母さんからももらっていたようなので、合わせて十数個ほどある。まだ付き合いが少なくてもこれだけもらうということは、台湾全土では猛烈な数が行ったり来たりしていることになるだろう。そしてどちらのご家庭の味も本当においしくて、毎日でも食べ飽きない。

夜まで仕事してから、バー小地方《しゃおでぃーふぁん》でエミリーと待ち合わせ。先日店主にお願いしていた台南の冷凍腸詰めを受け取る。これでベランダでの夜市ごっこのつまみはばっちり。

6月X日　台北

東京から来た出版関係の仲間たちと客家料理の晋江茶堂《じんじゃんちゃーたん》でランチ。日本統治時代の一軒家をそのまま使っており崩れそうでドキドキするけど、安定の美味さ。味付けはやや濃いめで、白いご飯に

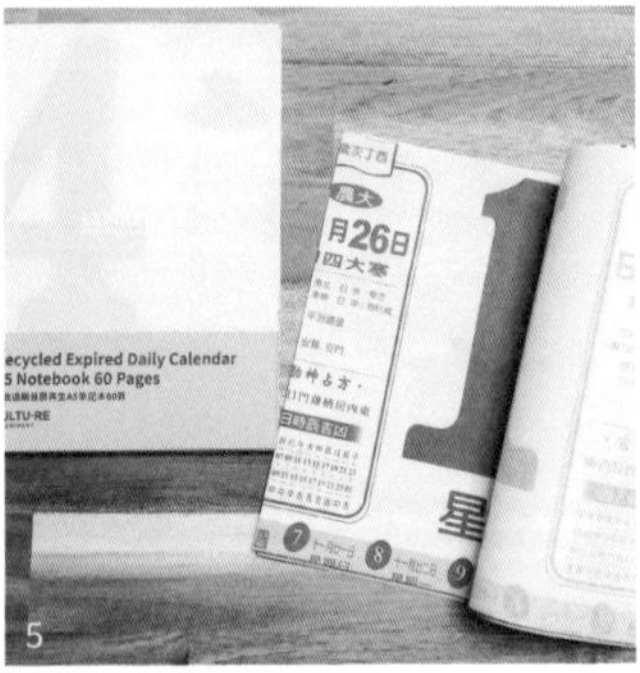

1.東京で買った高雄の交通カードiPassを台北で愛用 2.台北MRTの「日本で新幹線に乗ろう!」キャンペーン 3.大衆呉師小吃店(p.86)のトマト卵炒め 4.壁一面の瓶が壮観な軍火庫(p.86) 5.6.台北当代芸術館(p.90)で購入、日めくりや果物のダンボールを再利用したノート

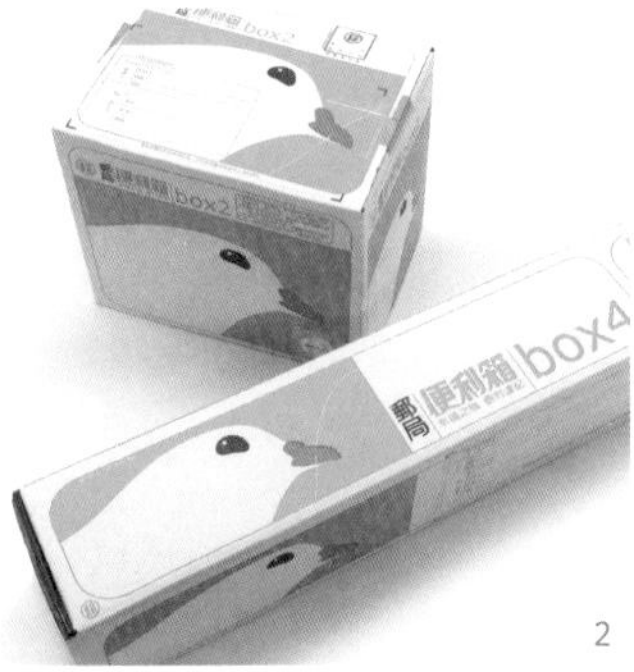

2

1

4

3

6

5

1.愛らしい切手。郵政博物館(p90)付近に並ぶ古銭屋に新旧揃う 2.鳩モチーフの郵便BOX 3.胃袋仲間、漫画家の山本ありちゃんと一緒に仕事 4. 6月はもう夏本番 5.バテた身体に苦茶之家(p.91)の薬膳スイーツ 6.ビニール手袋支給、Comida(p.91)のとろとろサンドイッチとてもよく合う。柑橘系の客家独特のソースを添えた蒸し鶏やイカ、豆腐や豚肉を香味醤油味で炒めた客家小炒、擂茶など特徴的な客家料理の数々を堪能する。

その後一旦解散し、夕方みなさんに仕事場に来てもらいベランダで夜市ごっこ。昨日買って来た台南の腸詰めは大好評！　店主の言いつけ通り、生ニンニクのスライスを添えて、かじりながら食べてもらう。シナモンの甘い香りが最高。ビールや赤ワインによく合う。

6月X日　台北

朝は冷凍してあるちまきをいただき、その後夜までひたすら仕事。外に出ると暑いので、仕事場に食料があるのはとてもありがたい。しばらく朝は家メシでいけそうだ。

夜には昨日話題に出た評判の居酒屋、大衆呉師小吃店《だーじょんうーしーしゃおちーでぃえん》に友人と3人で行ってみる。店の前に来て、3年ほど前にここに来たことを思い出した。その時は壁に貼ってあるメニューから苦心して選んでみたのだけど、正直あまりいい印象はなかった。しかし今回は勧められたベーシックなトマト卵炒めをメインとして、あとは店頭の調理人に「適当に」作ってもらった結果、前に来た店とは思えないほど満足できることがわかった。ワイン持ち込みもOK。3人で赤ワイン1本をあっという間に空け、もう少し飲もうという話になり、仕事場すぐ近くのクラフトビアバーの軍火庫《ちゅんふぉーくー》へ。とてもいい雰囲気なのに今まで行かなかったのは、私がビールを飲まないからだったのだが、なーんだ。

入ってみると私好みの甘酸っぱいベルギーのクリークや、イチゴやリンゴを使ったビールも各種あり、なんで今まで来なかったのかと悔しくなった。しかもここはさっきの店と逆で、食品の持ち込みをしても大丈夫だ。

6月X日　台北

枝付きのフレッシュなライチを買った友人から、日本に持ち込めないからと残った分を譲り受ける。以前は果物を持ち帰ることができたのだが、一切の持ち帰りができなくなった。……とはいえネット上では多少情報が錯綜しているので、日本の植物防疫所に直接電話で問い合わせしてみた。結果、やはり生の果物は現在全て持ち帰りNGだそうだ。ただ電話が終わった後に折り返し担当者から連絡があり、「厳密に言うとマイナス18℃以下で保存されていればOK」とのこと。要するに個人レベルでは難しいということがわかった。

つい先日から、仕事場の階上からものすごい工事音（というかもう破壊音）が聞こえるようになった。それとともにレンガも大量に運び込まれ、階段が赤い粉でザラザラに。上階を全面的に改装して2軒分の賃貸を作っているとのこと、ちょっと興味があったので少し覗かせてもらった。ものすごい音は、窓枠を取り外して壁を削り大きくしていたから。そして間仕切りにレンガを積み上げていた。コンクリートではなく、現役でレンガを多用することがとても興味深い。

3

2

1

6

5

4

9

8

7

1.「ネコカップ」のロケで野島が訪れた福隆海水浴場 2. ここはパリ？ ファラフェルならFlux by Fancia (p.94) で 3. こだわりの選書、広々とした浮光書店 (p.97) 4. 東京でなかなか会えない後輩ファミリーに台北で会う作戦 5. タイワンシジュウカラをモデルにした和菓子をデザイン (p.99) 6. 日本風カレーのCurry For PEACE (p.97) 7. 赤峰街無名排骨飯 (p.98) の排骨飯 8. これがブッダマシーンだ！ (p.98) 9. 夏はIKEA (p.95) でアイスキャンディー

入り口とのギャップにたまげる浮光書店(p.97)にはカフェスペースも

モダンアートの台北当代芸術館《たいぺいたんたいいーしゅーくぁん》（MOCA）へ、日本の明和電機の作品を見に行く。MOCAは1920年頃に開設された小学校を2000年にリノベーションしたもので、重厚感がある建物。入り口で幼い頃ここに通っていたという団体客に、記念撮影のシャッターを頼まれた。

展示のテーマは「音楽の記憶とアート」。明和電機とMAYDAYによる文庫本型の楽器で演奏される台湾ポップスはとても心地よかった。他に、普段は喧騒にかき消されて聞こえない獅子舞の息づかいとステップ音だけの動画作品や、モニター上にある台湾でおなじみの日用雑貨の画像を撫でると、実際に触れたような音が出る作品も楽しかった。

ちょっと行かなかった間に美術館に併設のミュージアムショップが広くなっていた。ちょうど欲しかった、果物のダンボール箱や、使い終わった日めくりカレンダーを再利用したノートを見つけて即買い。台湾のデザイナーは古き良きテイストをアレンジすることが本当に巧い。

台湾ではグラフィックデザイン全般に魅力的なものが多いけど、小さなものでは切手のデザインもまたすばらしい。台北の郵政博物館《ようちゅんぽーうーくぁん》では入場料10元（約35円）で台湾内外10万枚近くの世界の切手を見られるのは正直言ってお得すぎるし（世界のあちこちで郵便博物館を訪ねたけど、広さも群を抜いている）、付近に点在する古切手を扱う古銭屋は、一日中見ていても足りないくらいの宝の山だ。

暑くてどうもやる気が出ないので、仕事場に戻りがけ、気合いを入れるため苦茶之家《くーちゃーじーじゃー》で薬草茶の苦茶（当然のことながらものすごーく苦い）と、ヒキガエルの背脂と蓮の実の冷たいしるこ（蓮子雪蛤膏）を食べ、仕事場に戻ったら夜中まで黙々と仕事……なのだが日が暮れるまでは階上の爆裂的工事音が鳴り止まず、天井の高いカフェ角公園《じゃおこんゆぇん》に行くことに。

6月X日　台北

ものすごく天気がいい。朝早く起きて工事が始まらないうちに仕事をして、Comidaでブランチ。溶けてとろとろのチーズと半熟卵、ポークハムのサンドイッチをビニールの手袋を付けてガブッといただく。こってり好きにはたまらない。

掃除、洗濯、ちょっとした買い物などを済ませて早めに桃園空港へ。旅行から帰るときに次の旅行が決まっていないと不安になるのだけど、今年はずっと決まっているので気分がとても安定している。

1. 美味しいメキシカン、遊牧to go NOMAD（p.103）2. 気のおけない豪季水餃専売店（p.105）3. タピオカもいいけど仙草もね（p.103）4. 台湾スタバの缶入りクッキー 5. 台湾は漫才も面白い！ 漫才少爺ライブ（p.106）6. 市場に図書館が（p.103）7. お告げを聞きに温霊宮へ（p.107）8. 小日子（p.110）のドリンクホルダー 9. 修羅場メシ認定、オートミールドリンク（p.106）

1.カラフルな新聞求人広告 2.今日も特濃な寧夏夜市へ(p.10) 3.阿桐阿寶四神湯(p.9)の徒歩圏に物件を探した 4.パッケージが秀逸な無農薬茶、小茶栽堂 5.近所の太原路(p.31)には店舗用品がどっさり 6.7.猫が2匹いるyaboo(p.31)の濃厚な黒ゴマケーキ 8.夏に食べたい萬國酸菜麺(p.26)の汁なし麺 9.指差しでおかずが選べる自助餐(p.109)

7月

JULY | 2019

2019年7月
『台湾の和菓子が完成、中華以外をどんどん食べる！』

7月X日　台北

サボテンがまたまたにょっきりと10㎝くらい伸びていておののく。

毎日中華でも飽きることはないのだけど、せっかくだからそれ以外も開拓したいと思っていた。何人かにほぼ同時期にすすめられた、ファラフェルがおいしいというカフェFlux by Fanciaへ。実は台湾でいわゆる「カフェ飯」に感心したことがなかったので半信半疑だったけど、かなり本格的で満足できた。居心地もよいので、きっとまた行く。

デザートは春美冰菓室《ちゅんめいびんぐおしー》で杏仁豆腐。杏仁スープの中にちょっとゆるい杏仁豆腐が浮いていて、甘さは控えめ。もう少し食べたくなる寸止め感のある分量だった。

映画監督の侯孝賢がプロデュースする、ミニシアター・ショップ・カフェの複合施設、台北之家《たいぺいじーじゃー》に寄って帰る。趣ある大きな一戸建てはもともとアメリカ領事館。映画に関する雑貨や書籍が揃っていて、映画館では台湾や日本のセカンドランが観られる。ラインナップを確認して、今日は映画は観ずにショップだけで帰ることに。そして夜中まで仕事。

7月X日　台北

昨日のカフェ飯に気を良くしたので、昼過ぎに赤峰街《ちーふぉんじえ》にあるストイックでおしゃれなリノベーションカフェ、産出《ちゃんちゅー》に行ってみる。スクランブルエッグとポテト付きのベーコンチーズピーナッツバターバーガーが洗練されていて完成度の高い味だった。Awesome Burgerの方がピーナッツバターをどっかり盛ってあるが、だからといってこちらが物足りないという訳ではない。

夜は急にフォーが食べたくなってバスでPhofun!へ。目がチカチカするくらい黄色いインテリアの、女子高生が似合いそうなカジュアルなベトナム料理。ライムをどっさりと絞れば暑い日にぴったりの味になる。暑さにたまらずすぐ近くのIKEA都市型ミニ店舗に寄って、台湾産のアイスバーを買う。ローゼル（酸味のある赤い花）味が甘酸っぱくて最高。ひたすら仕事。

7月X日　台北

昼過ぎまで仕事。午後、徒歩圏の三越デパ地下にある丸亀製麺へ冷やしうどんを食べに行く。この特別でもなんでもないチョイスに初めて「あ、住んでる感ある」と思った。

帰り道、以前通りかかって気になっていた赤峰街の書店に行ってみる。古い三階建ての横丁物件

1.MUME（p.114）のアートなひと皿 2.大稲埕戲苑（p.112）は歴史ある人形劇の資料館 3.香港への想い、レノン・ウォール 4.ベランダに椅子とテーブルを出して夜市風飲み会 5.ミャンマー人街（p.114）の金山麺がヒット！ 6.Gogoroのいかすバッテリースタンド（p.112）7.なんとこれも交通カード 8.市民のU-bike（p.116） 9.仕事場周辺の野良猫、顔見知りは5匹ほど

で、入り口の鉄格子の扉に「浮光《ふーぐぁん》books/café」という小さい看板がある。狭い階段を2階に上がると、入り口からは想像もできなかったような空間が広がる。天井は高く吹き抜けて柔らかい外光の入る空間はまるで映画のセットのようで、明らかに東京にはないタイプの書店だった。日本の漫画から台湾のアートブックまで、選者の趣味というか書籍愛が色濃く反映されている。カフェで冷たいアップルジュースを一杯飲んで戻る。

ファミマの中で、まるで自分の家みたいに、店員さんが椅子を出して常連客らしき人にヘアカラーをしてあげていた。こういうフリーダムさがつくづく台湾だと思う。

7月X日　台北

キャラクターの仕事の件でE社へ打ち合わせに。そういえば台北でカレーを食べていないと思い、近くにある評価の高い日本スタイルなカレー、Curry For PEACEでカレーとサラダをテイクアウト。なるほど評判通りだった。らっきょうと福神漬け（的なもの）もちゃんとついているし、クランベリーがかかったサラダもとても爽やかでよかった。

ほぼ初めて手がけたプロダクトデザイン商品の「ネコカップ」がリリースされ、ありがたいことにツイートがバズっている。SNSから目が離せず全く落ち着かない。浜辺で砂を詰め、ひっくり返すと猫ができるという、別名「無限ネコ製造機」。どうか売れますように……。

7月X日　台北

看板もなくどうみても人の家なのだが、とびきりの肉丼があるという赤峰街無名排骨飯《ちーふぉんじぇうーみんぱいぐーふぁん》へ。開店時すでに行列、注文してからぎゅうぎゅうに相席して待つという圧倒的実家感のある店。排骨飯と牛肉飯、そして季節のスープはこれぞ家庭料理の味で、確かにまた来たくなった。

その足で、桑沢デザイン研究所の講師仲間、白根ゆたんぽさんの個展を見にギャラリーカフェの朋丁《ぽんでぃん》へ。シンプルなラインのゆたんぽさんの絵がなじむ整然とした空間で、台湾デザイナーの手による生活雑貨も充実している。キンキンに冷えたフルーツティーで身体を冷やす。

夜中までずっと仕事。途中水餃子を食べに寧夏夜市《にんしゃーいえしー》へ。友達に頼まれていた自動念仏機、通称ブッダマシーンを屋台で発見して買う。ずっと探していたのだがなかなか見つからなかったので、灯台下暗しであった。小さなラジオのような形で、歌のようなお経をずーっと唱えつづけるというありがたいマシーン。テクノミュージシャンが素材に使うこともあるらしい。

7月X日　台北

朝は李記豆漿《りーちーとうじゃん》で鹹豆漿と焼餅。帰りがけに祥星記一鴨三吃《しゃんしんちーいーやーさんちー》で、昼飯用の広東風の弁当をテイクアウト。香港でよく売っているような、白米に蜂蜜チャーシューや焼鴨などが乗っている弁当。おまけについていたのが、大好きな金針花のスープだった。

夕方は打ち合わせで天母の東京彩健茶荘《とんちんつぁいじぇんちゃーじぁん》へ。最終的な内装工事に入っていて、とても素敵に仕上がっている。先日納品した、台湾固有種のタイワンシジュウカラをモデルにした和菓子のデザインに沿って、職人さんが実際に和菓子を作ってきてくれた。ツンと尖った頭の形や、全体的に丸っこい姿は完璧に再現されている。素材の外側は練り切り、中には甘酸っぱいブルーベリーの餡が入っていて味も抜群。９月頃から店頭販売されることになった。

７月Ｘ日　台北

東京からの胃袋仲間とRAWへ再訪、４月からガラッと変わって夏メニューになっていた。今回も台湾の厳選食材が目白押しで、相変わらずユニークな盛り付けだった。蛤のからの中にはパエリア、桜海老と胡瓜の麺はなんとピンセットで食す。雪山のようなメレンゲチーズ、鴨の生ハムで包むマンゴーなど、意外な展開の芝居を観た後のような食後感が得られる。

仕事場に戻ると生徒たちから「課題の締め切りを延ばしてほしい」と動画メッセージが届く。他の課題と重なってキツいらしいが、こんな直訴は初めてだ。許すけど条件として２００％の仕上がりを約束すること！　とこちらも動画で返答。10年前には想像しなかったやりとりだ。

7月X日　台北

夜は賃貸契約でもお世話になったYさんとGさんが仕事場にきてくれて、夜中まで飲む。お土産にいただいたマンゴーはねっとりと甘く、台湾ウイスキーのカバランは驚くほど香り高い。Gさんのお母さん作のちまきも絶品だった。

占いなどをあまり信じないというGさんが唯一信用しているという「温霊宮」についての話になり、全貌がよくわからないまま、9月に同行させてもらうことになった。

翌日の夜便で帰宅。大家Kさんから学習中の日本語で「またおこしください」とLINEメッセージが来る。なんだか旅館に泊まっているようで、ちょっと微笑ましい。

"台湾らしい和菓子"のデザインで思いついたのが、
固有種のタイワンシジュウカラ
アタマつんつん
アタマと羽が濃いブルー
おなかは黄
お菓子そのもの!
粘土でモデルを作りました。

COLUMN

スーパーマーケットで何を買う？

スーパーマーケットは、その土地の普通の生活や美意識までをかいま見ることのできる貴重な現場。以前、『スーパーマーケットマニア』というシリーズを刊行してから（誰に頼まれるでもなく）世界どこにいてもスーパーが気になって、ついパトロールしてしまう。

台北を歩いていて一番よく見かける庶民的なスーパーはWellcome（頂好）と全聯福利中心。モールの中などにあるちょっと高級路線のスーパーがcitysuperやJASONS。そして大規模なハイパーマートの大潤発とカルフール（家楽富）がある。仕事場に近いのがカルフール重慶店のため、スーパーでお土産を探したいという友人がいればここに案内する。

地下に電化製品や衣類、日用雑貨があり、不定期だけどカルフールオリジナルのエコバッグ（本家フランスではなく台湾独自のデザイン）が手に入ることもある。ステンレスの無骨な弁当箱や水筒は日本にはないスタイルだし、台北の食堂によく置いてある正方形の小ぶりなティッシュペーパーに反応する友人も案外多い。1階に上がると食品のフロアで、まずは飲料。P.67に描いたご当地シードルや台湾ビールのフルーツシリーズなどが並ぶ。お菓子のエリアではロングセラーのど飴、京都念慈菴の缶入りがまとめ買いできる（コンビニでも少数や袋入りは買える）。ここ数年は味のバリエーションが増えたけど、私は紫色の烏梅味一択！調味料ではクノールの濃厚なコンソメ「鮮味妙手」が何にでも使えて便利。出口付近のナッツ類やドライフルーツは、試食の上買えるものが多いので間違いがない。

お土産として2000元以上買い物すると、レジを出たところにあるカウンターで税金が＊現金で還付してもらえるので忘れずに（要パスポート）。

＊5%の還付金額から、手数料14%が差し引かれた額

9月

SEPTEMBER | 2019

2019年9月
『お笑いライブに行ったり、温霊宮でお告げを聞いたり』

9月X日　台北

8月は来られなかったので、2ヶ月ぶりの台北。

着いたその足でいつもの呉碗粿之家《うーわんぐおじーじゃー》へ行き、スープと碗粿の朝食。コンビニで飲物と新聞を調達。

そして世界シェアではNo.1なのに日本のお店では見ないオランダのシードル、STRONGBOWを発見！　日本の缶チューハイもどんどん入って、ビール以外の選択肢がじわじわ増えているのが嬉しい。

新聞で見入ってしまうのはカラフルな求人欄。よーく見るとパートナーを探す怪しい個人広告もあって興味深い。

物件を発見してから今月ではや1年！　仕事場に着くと大家ママが歓迎のハグをしてくれ、まるで実家に帰ってきたみたい（母とハグをしたことはないけど）。

LINEに毎日届く台湾ニュースを入れるまで、こんなに頻繁に台風に襲われているとは思わず、8月は野島が帰国便で丸3日間足止めを食った。さっそくベランダのサボテンが倒れていないかチェック。ニョキッと成長しているがびくともしてない。しかしまた大型台風が近づいているため、滞在中の天気は絶望的。今回は大量の仕事を持ってきたし、いいんだ。

あまりに飲みすぎて体内タピオカ度がMAXに達してしまい、最近は仙草というシソ科のほろ苦いハーブのゼリーが入った仙草ミルク（鮮奶仙草凍飲）がマイブーム。黑丸嫩仙草《へいわんねんしぇんつぁお》で買って歩き飲みしつつ、白根ゆたんぽさんの作品が展示されている、北師美術館《べいしーめいしゅーくぁん》の「美少女の美術史展」へ。17世紀から現代までの、日本で描かれた美人画の原画がずらりと居並ぶ。歌川国貞や手塚治虫、竹久夢二、棟方志功も。なんと贅沢な空間よ。

近くに台湾「BIG ISSUE」の販売員さんが立っていたので迷わず購入。今号の表紙はブラッド・ピット。相変わらずシンプルで素晴らしいデザイン。

たまにはカンを頼りにおいしいものを探してみる。美術館帰りに目に飛び込んできた小さな店、メキシコ料理の遊牧《ようむー》 to go NOMADでブリトーとスープ、これが大当たり！　今月はなんだかスパイシーなものが食べたい気分だったのでぴったりだった。店主によると台北にメキシコ料理は4軒ほどしかないそう。再訪を約束する。

明日から大量の立体造形製作に入るので、自らを奮い立たせるためにマッサージの活泉《ふおちゅえん》へ。サービスはものすごくあっさりしているけど、腕は間違いないというチェーン。足取り軽く歩いて帰ると、仕事場近くの雙連市場《しゃんりぇんしーちゃん》という屋内市場の中に図書館を発見。100回は前を通っているのに気付かなかった。階段で上がってみると、21時まで使える自習室もある。古い学校のようにストイックな雰囲気で気に入った。集中して原稿が書けそう。

本日最大のミッションは、ずっと追っかけている香港スターLEON LAIが、12月に台北のスタジアム小巨蛋でライブをするので、そのチケットをファミマで発券すること。KKTIXという台湾のチケットサイトで日本から予約してある。初めてやってみたけど段取りは日本とほぼ同じで無事発券、安心したので夜中の2時頃まで集中して仕事。

9月X日　台北

朝は冷凍庫に残っていたちまきをレンジで温める。

出がけに大家ママから紙袋いっぱいの果物と、月餅をもらう。今月は中秋節があるので、台湾人は月餅を贈り合うそうだ。ママは全て台湾製だと誇らしげ。今日からかなり取り込みそうなので、食品はとてもありがたい。

Yさんの会社へTVのチューナーを受け取りに行く。そう、仕事場に足りないのは（いまだに好みのデザインが見つからない）ソファだけではなく、TVもなのだ。台湾では、漢字は読めても発音は違う人たちがたくさんいることへの配慮で、全ての番組に字幕が出る。私としてはとても勉強になるから早く導入して、笑えるバラエティ番組をたくさん見たい。

ランチは台北駅近くの横丁にある水餃子屋、豪季水餃専売店《はおじーしゅいじゃおちゅぇんまいでぃえん》へ。来るわ来るわ、紳士たちが。あっという間に店の中は95%サラリーマン、こういう店にハズレなし。皮の厚い水餃子10個と酸辣湯をオーダー。やはり今月は辛いものに飢えているので、家見印のチリペーストをガッツリつける。これ、お店でよく見るのになかなか入手できないもののひとつだ。

商店街の仙草ゼリーミルクティーをテイクアウトして14時頃仕事場に戻り、夜中の2時頃までひたすら粘土をこねて造形する（幼児誌の仕事で、お医者さんごっこのパーツを60種類ぐらい作る）。YouTubeを見ながらひたすら作業、途中で入るCMの多くが日本の観光地の自治体が作ったらしきもので、なかなか雰囲気がよい。

夜は寧夏夜市《にんしゃーいえしー》に走って、方家《ふぁんじゃー》の鶏肉飯と野菜炒めをテイクアウト。タロイモ団子と並んで信用できる味だ。冷蔵庫にあった花椒辣醤（野島がバーの老屁股《らおぴーぐー》で買ってきたもの。一度聞いたら忘れられない店名）を遠慮なくどっさり掛ける。

9月X日　台北

朝早く起きて、ひたすら仕事。子供の頃から去年までひどい夜型だったが、蛍光灯のない生活を始めたらいつのまにか朝型になった。

大家ママからもらったお菓子や、買いだめしたヨーグルトでしのぐ。台湾はヨーグルトの種類が豊富でどれもおいしい。さらに今回コンビニで見つけたクェーカーオーツのオートミールドリンクが最強！ 麦の粒がしっかり入っていて飲みごたえがあり、腹にもたまる。修羅場メシ認定。

夜は楽しみにしていたお笑いライブへ。吉本興業所属で台湾在住7年の漫才少爺（まんざいぼんぼん）、ゲストは台湾の漫才師チーム、面白大丈夫。場所はComedy Baseというライブハウスのようなところ。20～30代の人たちがいっぱいで熱気がすごい。期待どおりの楽しいひととき。

漫才少爺さんは、台湾に住む日本人として日ごろ不思議に思うことや、台湾人のパーソナリティをネタにしている。YouTubeで予習していったから3～4割くらいは理解できたが、基本的に漫才の聞き取りはものすごく難しい。しかしコントになると小道具を使ったり芝居掛かったりするためぐっとわかりやすくなる。面白大丈夫による、突然部屋におしかけてくる大同電鍋（台湾人はみんな持っている電気鍋）教のシュールなコントは、ノリも日本と通じるものがあってとても面白かった。

中華圏には「相声」という日本の漫才の源流はあるけど、台湾で漫才やコントをやる人はとても少ないらしい。ともかくお笑いを理解するのはとてもハードルが高い。

帰りに阿桐阿寶四神湯《あーとんあーばおすーしぇんたん》で四神湯と肉まんを食べて帰り、また夜中まで造形。いつもは四神湯とちまきなのだが、寝る前なのでちょっと軽めに。この店は4時までやっているので本当に助かる。

9月X日　台北

朝早く起きて、ひたすら造形の仕事。今朝も朝飯はクェーカーオーツのオートミールドリンク。これはトランクにいっぱい詰めて帰りたい。

今晩は台湾の友人Gさんの家族（お母さんと叔母さん）と、台北から車で1時間半ほどの新竹市にある『温霊宮』という道教の寺院へお告げを聞きに行く。

温霊宮にはGさん家族が長年絶大なる信頼を寄せる先生（尼さん）がいて、降霊により様々な問題に答えてくれると7月に聞き、興味が湧いたので連れて行ってもらうことになった。

18時にGさんと待ち合わせして温霊宮へ車で向かう。道教の寺院というと派手な印象があったけど、郊外にぽつんと佇み、質素であけすけ。寺のみなさんのコスチュームだけは道教の神の色、真っ黄色だった。

20時前に降霊が始まり、普段は酒を飲まないという先生に酒飲みな神が降霊し、白蘭地（ブランデー）を飲みゲップを繰り返し、物腰がだんだん男性のようになっていく。降霊し終わると予約していた順番に先生と話ができ、私は7番目。おばさん、お母さん、Gさんに続き私の番で、仕事はどうなるか、よりよい仕事を得るためにはどうしたらいいかを聞いてみた。

先生は自分も飲みながら私にも小さいカップで何度も酒をすすめる。40度くらいありそう。答えは「今年は停滞しているから何もやるな。来年から6年間は順調だ。身体には気をつけているようなので問題はなかろう」とのこと。

せっかく日本から来たんだからお祓いしてもらおうとのことで、もう一回列に加わる。お祓いの間も飲み通し、3枚のお札をそれぞれ火で焼いたり水に浸けたりと、細かい作法を説明される。

お告げに対する御礼の相場は一回300～500元(約1050～1750円)で、本当にお世話になったら別途寄付などをすることになっているようだ。

後から思うに、日本の概念だと神様には漠然とした願いを一方的にお願いするイメージだけど、ここではもっとインタラクティブで、聞きたいことを積極的かつ具体的に伝えていいものらしい。昔ロトくじ(大家楽=現在の六合彩)で台湾が一気に湧いた時に、数字を当てるためにお告げを聞きにくる人も大勢いたそうだ。もちろん今でも賭け事だろうと聞けば教えてくれるらしいので、台湾の神は実におおらか。

Gさんは特に聞きたいことがなくても、現状報告だけに来たりもするらしいので、まさによりどころだ。帰路は酔っぱらってよく憶えておらず、仕事場に帰ってすぐ眠った。

9月X日　台北

朝は例によってオートミールドリンク。今日は丸一日造形の仕事だ。気に入ると毎日同じものを食べ続けてしまう。

昼は喜美台式自助餐《しーめいたいしーつーちゅーさん》で多めに盛った弁当を昼夜用にテイクアウト。こういった中華惣菜のカフェテリア式定食屋は行くたびに減っていて、日本式の定食屋が増えている。

大家Kさんから連絡があり、この夏の電気代超過分がだいたい2800円くらいとのことだったので支払いに行く。実はあまり滞在していないから、と電気代は家賃込みになり、夏場だけ少し支払うことになったのだ。大家さん母子は珍しく不在で、従業員さんが受け取ってくれた。ちょっと寂しい。そして集中して仕事、夜中の2時頃になんとか完成！

9月X日　台北

帰国便は夜0時頃なので、1日を有効に使う。

朝は李記豆漿《りーちーとうじゃん》で朝飯。近所のスターバックスでスタバファンの友人のために台湾スタバオリジナルのクッキーと、アメリカのスタバのペンケースを買う。

中山駅から雙連駅までの地下街を歩き、誠品R79《ちぇんぴんアールちーじう》をパトロール。拙著を1冊発見。テナントで台湾の消費者金融や風俗のビラをモチーフにした面白いアップリケを見つける。こういうセンスは好きだ。

最後にもう一度、雙連駅のすぐ下で足つぼマッサージ。視覚障がい者スタッフの店が何軒か集中していて、腕は確かでリーズナブル。

おしゃれなライフスタイルマガジン「小日子《しゃおりーず》」の同名実店舗で、台湾でちょっと流行った布のドリンクホルダーを買う。ドリンクと一緒だとかなり安くなるので、なんだかんだでまたタピオカを飲んでしまう。

スーパーのカルフール（家楽富《じゃらふ》）でTVをチェック、20インチでだいたい2万円くらいだった。曜日別のデザインで7種あるエコバッグと、珍しい台北のクラフトサイダー（シードル）を買う。姪に乾燥タピオカを買いたかったが見つからず。友達が探していたクノールの顆粒ブイヨンを買う。

最後の最後に急いでバー小地方《しゃおでぃーふぁん》に行き、またまたお願いしてしまった台南の腸詰だけ受け取ってとんぼ返り。ゆっくり飲むのは来月に。

今回もやり残したことは色々あるが、今までで一番集中して仕事ができた。

9月X日　東京

虎ノ門にある台湾文化センターへ。講演「セクシュアル・マイノリティを書くということ」と題して行われた、台湾の作家・陳雪氏と日本の作家・松浦理英子氏の対談を聞きに。司会は台日両方で活躍する作家の李琴峰氏という贅沢なメンバー。両氏の書籍は恋愛を描いた小説の主人公が同性であって、必ずしも同性愛を特別に描いているものではない。

翻訳版が出ている陳雪氏の『橋の上の子ども』は私小説的な物語で、台中の夜市が舞台。これからは台湾文学にも触れていきたい。来月には古い友人の泉京鹿さんが翻訳する台湾現代文学の問題作『房思琪の楽園』がいよいよ出版されるので、楽しみでならない。

9月X日　東京

日本橋に台湾の誠品書店がオープン。台北敦南店と似た棚のレイアウトにまず心の中で号泣。オリジナルグッズもちゃんと並んでおり、生活雑貨と食品の「誠品生活市集」エリアには例のコントのネタになった大同電気鍋や、仕事場にもある屋台椅子、調味料などが並ぶ。その他多くは日本全国(や韓国)から誠品のセンスでセレクトされたもので、会津のカゴや大分の蜂蜜など外国人観光客のお土産需要も満たしてくれそうだ。

書籍のセレクトは有隣堂担当で、もちろんほとんどが日本の書籍だけど、見せ方や選び方に誠品らしさを感じる。この日は誠品創業者・呉清友のドキュメンタリーDVDを購入。拙著は2冊発見。メンバーズカードをゲットするも台湾では使えないそうで、ちょっと残念。

台湾でまだ慣れないことは、ワリカンが無いこと。いつも誰かがまとめて支払う。台湾では当たり前の習慣だが、タイミングがけっこう難しい。

10月

OCTOBER | 2019

2019年10月
『あっという間に一周年！と新たな脚U-bike』

10月X日　台北

珍しく離陸時に起きていたので、飛行機の窓から富士山がとてもクリアに見えた。

今日は布生地問屋が集まる永楽市場の8階にある大稲埕戲苑《だーだおちぇんちーゆぇん》に行ってみる。ここでは古典的な手袋状の人形の展示と、その人形劇（布袋劇）が見られる。美大のときに台湾人の同級生が卒展のモチーフにしていたセルロイドの影絵人形もあり、いつか見たいと思っていた。西遊記や三国志などをテーマにしたものが多く、凝った細工がすばらしい。候孝賢による布袋劇演者を追った映画『台湾、街角の人形劇』が11月に日本でも公開されるので心待ちにしている。

永楽市場《よんらーしーちゃん》のそばにある、電気スクーターGogoroの充電ステーションが近未来的で目をみはる。Gogoroは台湾製で、デザイナーである社長がパーツからショールームまで一貫してデザインを手掛けているため、どこを取っても非常に洗練されている。

家賃を払いに行き、いつものごとく大家さん母子と世間話になり衝撃の事実を聞く。区画整理で路地の拡張が決まり、この建物も引っかかっているとのこと。あらら取り壊しなのか……と思ったら、なんと「ベランダを3分の2カットする」ことになったらしい！　3回くらい聞き返したけどどう聞いてもそのようだ。工事は2020年の1月。そんな斬新な工事は聞いたことがなく、もうこうなったら顛末は見届けなければと思い、今月でちょうど1年経ったので、もう1年契約を延長することにした。台湾の賃貸契約は1年か2年なのだが、更新料は特にかからない。大家ママに果物や手作りの菓子などをたくさんいただき、私も地元のかりんとうを渡す。

夕方からはプロダクトデザイナーのアイドントノウとTENTのみなさんが台北出張の間を縫って訪ねて来てくれたので、ネットラジオに出演する。仕事場の照明は彼らのデザイン。

みなさんをお見送りしてから、バー老屁股《らおぴーぐー》でエミリーと待ち合わせ。このバーも食事が充実していて、赤ワインに合うような水餃子や煮込みが揃っている。

10月X日　台北

朝はとろっとろチーズのサンドイッチを手袋をして食べるComidaへ。昨日からやっと25℃くらいになり気持ちがいいが、6~9月の暑さはつくづく修行のようだった。

IKEAがComida近くのYOMI HOTELの中に設えたポップアップホテルを覗く。「コレクターの部屋」、「猫と一緒の部屋」などなど、IKEAのインテリアを設えた異なる9つのコンセプトが見られる。ホテルならではのコンパクトな部屋を活かした、いいアイデアだった。

あまりに天気がいいので、ちょっと遠出をして華新街《ほあしんじえ》(ミャンマー人街)へ。小さな飲食店がひしめく通りは色使いから、漂う香りからまるで異国。とりあえず事前に調べてピンと来た店、包哥來に入ってみる。1品は魚のフライが乗った魚湯麺、もう一品はカンで金山麺にしてみたところ、これが大当たり！　シンガポールラクサの汁なしのようで、ココナッツにほんの少しカレー風味。コショウの利いたスープがついてくる。ミャンマー料理にはシンガポールやマレーシア、タイやインドのエッセンスもあり、初めてでもなじみやすい味だった。

夕飯はMUMEへ。中華のような和のような、フレンチにも感じる創作料理で味はしっかりめ。若いスタッフの対応がすばらしい。台湾の食材を使い、皿に絵を描くように美しくディスプレイしている。台南の魚・サバヒーはこの上なくクリーミーで、メインの牛タンはスープ仕上げで出汁が効いていていてとんでもなく柔らかい。アイスクリームは液体窒素で固めてあり溶けにくく、ローカルな黒松コーラを使ったカクテルもユニーク。ルックスも味も、どれも強烈に記憶に残る。

10月X日　台北

この夏ヒットした台湾映画『返校』を観に誠品映画館《ちゃんぴんいんほあぐあん》へ。２０１７年に台湾で制作され大きな話題を呼んだゲームの映画化で、白色テロによる戒厳令下の高校が舞台のホラー。台湾は実際に

１９８４年まで40年間戒厳令が敷かれていたので、史実に基づいた恐怖の日々が綴られる。

そして隣接の松山文創区《そんしゃんうぇんちゅあんちー》で『バウハウスを越えて』展。ドイツのデザイン学校バウハウスの理念に触発された台湾のデザイナーたちの制作物を、夜市のスタイルで展示するというなかなか奇抜な趣向だった。文創というのは文化創造の略で、台湾政府や台北市がバックアップしているデザインやアートの制作活動や、その場所のことを指す。

文創ハシゴで華山１９１４《ほあしゃんいーじうぃーすー》へ行き、アイドントノウのプロダクトが展示されているブースを見に行く。４連休中とあって大盛況。ここも１９１４年に創業した工場を巧くリノベーションした文創区で、テナントはくるくる入れ替わり常に新陳代謝しているが、地元のメーカーであるか、または文化的な存在で力強いテーマを持っているかを精査される。

１年ぶりに会う台湾人の友人と食事。台北生活の様子を訪ねられ、問題なく過ごしていること、大家さんが親切で昨日も果物を頂いたことなどを話すと、「私は最近日本人が嫌い」と返された。「親切にされていい気になっている日本人が多いから、台湾人としては好意の無駄遣いだ」と。私もそう感じることは多いし、私のことを言っているのではないこともわかるけど、私の一言がスイッチを押してしまったのは確かだろう。穏やかでない空気が一瞬流れるが、映画の話を経て現在の香港について、さらに来年１月の台湾総統選まで話は多岐に及ぶ。

台湾では政治や哲学について友人と激しく議論を交わすのは珍しくない。最近の日本ではあまりないことなのでまごつくが、これも一つの文化で、親密度が現れた貴重なやりとりと捉えている。私としては人を国で括ることはせず、必ず個人レベルで話すことを心がけている。酒は飲まなかったので、戻って仕事続行。台風19号が関東に上陸しつつあり落ち着かない。SNSではゴジラが上陸するかのように戦々恐々としている。航空券を1日後に振り替えた。

10月X日　台北

日中は初めてレンタサイクルのU-Bikeを使ってみることにした。街のあちこちで見かけるオレンジ色のぼってりとした自転車。台北は坂がないから使えば絶対便利とわかっていながら、ファンシーなデザインに躊躇していたのと、夏場は外をウロウロする気力がなかったのでずっと使いそびれていた。でも使ってみたら本当に便利！　現地の電話番号を持っていない人はクレジットカードの番号入力で使え、かなり安い（4時間まで30分ごと約40円）。重くてがっしりしているので慣れるまでちょっとかかるけど、自転車のラインが整備されているところが多いので乗りやすかった。

10月X日　台北

台風で帰国が1日延びて約束のないごほうびのような最終日、昼過ぎまでは仕事と、コインランドリーで洗濯。そして今月の台北滞在シメの昼食は阿國切仔麵《あーごうちぇじゃいみぇん》で汁なし麺とワンタンスープ、豚肉の揚げ物と芋の葉炒め。移動はもちろんU-Bikeだ。

たまたま通りかかった赤峰街《ちーふぉんじえ》のカフェの壁に、たくさんの付箋が貼ってあり、自転車を止めよく見ると、小さな「LENNON WALL」だった。それはデモで揺れる香港へのメッセージを付箋に書いて埋め尽くした、台湾大学前の地下道にあった壁のこと。すでに撤去されているけどきっとあちこちに同じような壁が作られているのだろう。

中山駅の三越地下に進物用の菓子を、その隣の誠品生活南西店《ちゃんぴんしょんふぉなんしーでぃえん》に大先輩の還暦祝いを買いに行く。真っ赤な麻のワークエプロンを発見、いいものが入手できた。

荷造りをして空港へ。今ここに置いてあるもの、そして次に持ってくるものを毎回メモし直す。服と洗面道具はほとんど置いてあるのでずいぶんラクになった。

いつもは歩いていく台北駅の空港快速駅までU-Bikeを使ってみる。快適すぎて涙が出そう。今月もまたやり残しがいっぱいだけど、続きはまた来月に。半々暮らしはまだまだ続く。

あとがき

台北に拠点を置いて1年以上が経ちました。二つの場所を行ったり来たりしているというよりは、二つの世界が並行して存在しているような、自分が世界に二人いるような不思議な感覚です。予想もしなかった毎日の小さな出来事は、私が生きていくのに必要な想像力と理解力を鍛えてくれています。まだまだ台湾の表層を撫でただけなので、これからさらにじわじわと入り込み、肌で感じた大好きな台湾を発信し続けるつもりです。

日記の書籍化にあたって、台北の友人たち、大家さん、そして編集の山本智恵子さんと、お礼を伝えなければいけない人はたくさんいるのですが、その中で最も厚く御礼申し伝えたいのはHさんという方です。

お医者さんだったHさんはアーティスト仲間の間では有名人で、マメに個展会場に足を運んでは気前よく作品を買ってくださる、神様みたいな人でした。そんなHさんが、まえがきに書いた2017年末の個展にいらっしゃらなかったので、相当お忙しいのだろうと思っていたら、入院されていたのです。個展を片付けてすぐお見舞いに伺ったときに、辛うじてお話ができたＨさんから「これからもいい作品を作ってください」と、しかと言付かりました。このとき自分の時間も有限だということを実感し、よりいいものを作るために海外に拠点を設けて刺激を受けようと思い、その日の夜の打ち上げで台北仕事場計画を野島に話したのです。Ｈさんの病状は重篤で、その５日後に旅立たれました。

いつぞやイラストレーターのオザワミカさんとのトークイベントで、私が「仕事の半分は依頼した側に責任があるから、半分は人のせいと思って制作すれば気が楽」、と話したのを笑いながら聞いてくれたＨさん。台北に仕事場を借りてしまったことの半分はＨさんのせいですが、ここまで続いているので大成功です。改めて、Ｈさんに感謝の気持ちを込めて。

２０２０年初　森井ユカ

COLUMN

台北の書店

台北で訪れるべき場所、それは書店。台湾の書籍の装丁は美意識が非常に高く、(言葉は解らなくとも)読み応えのあるものがとても多い。表紙にも惜しみなく箔押しをしたり、切り抜き加工をしたりと、日本では秒速で却下されるであろう造本や大胆なデザインが目白押しだ。

衝撃を受けるほど素晴らしいのが漢聲巷門市(P.24)で、暮らしに深く関わる中華文化を丁寧に取材して次々に書籍化している出版社兼書店。それと日本にも進出した大型チェーンの誠品書店(P.9他)なら、地下鉄中山駅から雙連駅までの地下道に作られた細長いR79がユニークだけど、物量なら信義店。主義主張がはっきりしている赤峰街の浮光書店(P.97)では、入り口と内部のギャップに驚く。どこも台湾人の書籍愛が色濃く反映されている。

COLUMN

半々暮らしの始め方

国内外での多拠点生活やノマド暮らしを始める友人知人は、年齢性別、配偶者や子供の有る無しに関係なく増えてきている（私の周りではむしろ子連れの家族が目立つ）。週末や連休だけをうまく利用している会社員もいるけど、多くが事業主でネットを使った仕事をしている。逆をいえばネットを使った仕事にシフトすれば半々暮らしは可能になる。今日思いついて明日から、とはいかないのでおそらくは3年ほどの準備（移行）期間が必要になるかもしれない。でもその3年の間に貯金と語学学習ができればさらにぐっと目標に近づく。ただ私が以前の香港、今回の台湾と経験してみて一番効果があったのは、とにかく周りに言いふらすことだった。人づてに集まる情報ほど信用できてありがたいものはない。仕事のことはもちろん、人を紹介してもらえるのが嬉しかった。

LCCが就航したことも、多様な生活様式に一気に現実味を与えてくれた（交通費がかかり過ぎることほど辛いことはない）。LCCに対して「危険で肩身の狭いもの」という印象を持っている人もいるけど、世界中で何度も乗ってみた結果、悪いイメージを持ったことは一度もなかった。確かに飛行時間が深夜とか明け方とか特殊なので、そこだけは都合や身体に合わないことはあるだろう。でも上手く使えばこんなに便利なものはない。

ネットで仕事ができて、LCCに抵抗がなければもう片足は半々暮らしに突っ込んだも同然。あとは冷たいプールにエイッと入るような一瞬の思い切りがあれば、その後のことはその時に考えればいい。時代と周りの人たちに感謝しつつ、今月も行ったり来たりしている。

A
B
1
2
↑阿国切仔麺
雙連朝市
世紀豆漿大王
香満園
阿桐阿寶四神湯
(モツスープとちまき)
喜美台式自助飯
飯團(台湾おにぎり)
の屋台があるカモ
民生西路
ビアホテルロフト
(ビジホ)
冰讃
(マンゴーかき氷)
4~10月
雙連
小茶栽堂
(パッケージの
きれいなお茶)
(駅構内に
ミスド◎)
池上弁当
(ブランド米)
承徳路二段
小日子
(雑誌と連動の
カフェ・雑貨店)
紅拾玖
(サンドイッチ)
産出
(カフェ)
Comida
(チーズとろとろサンド)
誠品R79
地下鉄の駅の地下に誠品書店!
浮光書店
(カフェあり・広々)
中山北路二段
林森北路
建成公園
赤峰街
蘑菇《モグ》
MOGU
(雑貨・カフェ)
赤峰街無名排骨飯
台北之家
(映画館
雑貨・カフェ)
健楽公園
南京西路
中山
誠品生活
(ファッション
雑貨・カフェ)
4F・神農生活
(食品)
三越
B2F・鼎泰豐《デンタイフォン》・舊振南
(小籠包)
ショップが広くなった!
台北当代芸術館
Museum of
Modern Art
長安西路
四海豆漿
中山北路一段
MAP D
中山-雙連
長安東路一段
朋丁
(ギャラリー)
台北駅↙

MAP C
円環周辺
A
B
1
2
保安街
迪化街（乾物屋街）
・家楽富／カルフール
（大型スーパー）
重慶北路二段
劉媽媽飯糰
（台湾おにぎり）
豆花荘（豆花）
雙連市場
（屋内市場）
民生西路
・妙口四神湯
（肉マン美味）
古早味豆花
（豆花）
・方家雞肉飯
感恩牛羊肉小館
（トマト牛肉麺）
ワイルド系
・地衣荒物
Earthing Way
（雑貨）
・劉芋仔芋餅芋丸
（タロ芋団子）
100コ食べた
ファミマ
寧夏夜市
永楽市場
（布地）
行冊
ワイン有
（地中海料理）
Wellcome
（スーパー）
ユカデザイン
8・9F
大稲埕戯苑
（人形の展示と劇場）
延平北路二段
龍縁
三元號
ローカル食堂
（魯肉飯など）
ほぼ毎日行く…。
PLAY DESIGN HOTEL
（5室のみ・全て違うデザイン）
・小北百貨
（生活雑貨）
手にはめる人形
南京西路
スタバ
円環
四喜堂
（プライベートキッチン）
日新早餐店
（サンドイッチ定食）
天喜迷你石頭火鍋
（カウンターひとり鍋）
軍火庫
（ビアバー）
食の持込OK！
・A DESIGN & LIFE PROJECT
（インテリア雑貨）
延平北路一段
毎日食べたい…
角公園咖啡
（カフェ・天井高い・中国茶多し）
呉碗粿之家
（台南名物・米粉の茶碗蒸し）
太原路
店舗用品，容器の問屋街
李記豆漿
（豆乳スープ）
祥星記一鴨三吃
（広東風弁当）
長安西路
苦茶之家
（漢方スイーツ）
重慶北路一段
ハツ2
大稲埕米粉湯
（粥とモツ）
ドン!!
Meander1948
（デザイン良しなホステル）
承徳路一段
0
200m
台北駅↓
参考：Google map

index

［あ］

阿國切仔麵【あーごうちえじゃいみぇん】……P39・117/MAP❶B-1外

阿琪師小籠包【あーちーしーしゃおろんぱお】……P23/MAPⒶC-1

阿桐阿寶四神湯【あーとんあーばおすーしぇんたん】……P9/MAPⒹA-1

圍爐【うぇいるー】……P47・74/MAPⒶC-2

文昌街【うぇんちゃんじえ】……P46/MAPⒶC-2

吳碗粿之家【うーわんぐぉじーじゃー】……P18・102/MAPⒸA-2

［か］

感恩牛羊肉小館【かんえんにゅうやんるーしゃおくぁん】……P19/MAPⒸB-1

甘妹弄堂【がんめいろんたん】……P71/MAPⒶC-1

苦茶之家【くーちゃーじーじゃー】……P90/MAPⒸA-2

［さ］

三元號【さんゆぇんはお】……P62/MAPⒸB-1

93蕃茄牛肉麵【じうしーさんふぁんじゃーにゅーろうめん】……P58/MAPⒶB-1

舊振南【じうちぇんなん】……P25/MAPⒹB-2

世紀豆漿大王 【しーじーとうじゃんだーわん】……P16・59/MAPⒹA-1

建國假日花市【じぇんぐおじゃーりーほあしー】……P63/MAPⒶB-2

神農生活【しぇんのんしょんふお】……P59/MAPⒹA-2

喜美台式自助餐【しーめいたいしーつーちゅーさん】……P109/MAPⒹB-1

角公園 【じゃおこんゆぇん】……P51/MAPⒸB-2

小北百貨 【しゃおぺいばいほう】……P16・51/MAPⒸB-1

小地方 【しゃおでぃーふぁん】……P43・66・83・110/MAPⒷ

小日子【しゃおりーず】……P110/MAPⒹA-1

家楽富【じゃらふ／カルフール】……P16・63・101・110/MAPⒸB-1

祥星記一鴨三吃 【しゃんしんちーいーやーさんちー】……P98/MAPⒸA-2

雙連市場 【しゃんりぇんしーちゃん】……P103/MAPⒸB-1

雙連朝市 【しゃんりぇんちゃおしー】……P9・59/MAPⒹA-1

香滿園 【しゃんわんゆぇん】……P30/MAPⒹA-1

行冊 【しんかー】……P50/MAPⒸA-1

晋江茶堂【じんじゃんちゃーたん】……P83/MAPⒷ

行天宮【しんてぃえんこん】……P59/MAPⒶB-1

鑫耀鑫【しんやおしん】……P28/MAP❹B-1
四喜堂【すーしーたん】……P51・79/MAP❸B-1
四海豆漿【すーはいとうじゃん】……P74/MAP❶A-2
四平街番茄牛肉麺【すーぴんじえふぁんじゃーにゅうろうみぇん】……P23/MAP❹B-1
松山文創区【そんしゃんうぇんちゅあんちー】……P115/MAP❹C-1
松江自助火鍋城【そんじゃんつーちゅーふぉぐぉちゃん】……P47/MAP❹B-1

［た］
泰小姐豆漿店【たいしゃおじえとうじゃんでぃえん】……P66/MAP❹C-1
台電励進餐廳【たいでぃえんりーじんつぁんてぃん】……P47/MAP❷
台北之家【たいぺいじーじゃー】……P94/MAP❶B-2
台北当代芸術館（MOCA）【たいぺいたんたいいーしゅーくぁん】……P90/MAP❶A-2
太原路【たいゆぁんるー】……P31・51/MAP❸B-2
大衆冥師小吃店【だーじょんうーしーしゃおちーでぃえん】……P86/MAP❹B-1
大稲埕戯苑【だーだおちぇんちーゆぇん】……P112/MAP❸A-1
大稲埕米粉湯【だーだおちぇんみーふぇんたん】……P54/MAP❸A-2
池上便當【ちーしゃんびぇんたん】……P16/MAP❶A-1
赤峰街【ちーふぉんじえ】……P9・63・74・95・117/MAP❶A-1・2
赤峰街無名排骨飯【ちーふぉんじぇうーみんぱいぐーふぁん】……P98/MAP❶A-2
長白小館【ちゃんばいしゃおくぁん】……P47/MAP❹C-2
誠品R79【ちゃんぴんアールちーじう】……P9・59・109/MAP❶A-1・2
誠品書店信義店【ちゃんぴんしゅーでぃえん・しんいーでぃえん】……P120/MAP❹C-2
誠品生活南西店【ちゃんぴんしょんふおなんしーでぃえん】……P59/MAP❶A-2
誠品映画館【ちゃんぴんいんほあぐぁん】……P114/MAP❹C-1
産出【ちゃんちゅー】……P95/MAP❶A-1
軍火庫【ちゅんふぉーくー】……P11・86/MAP❸B-2
春美冰菓室【ちゅんめいぴんぐおしー】……P94/MAP❹C-1
蔵旧尋宝屋【つぁんじうしゅんばおうー】……P62/MAP❷
地衣荒物 Earthing Way【でぃーいーほぁんうー】……P75/MAP❸A-1
迪化街【でぃーほあじえ】……P10・75/MAP❸A-1
頂好超市（Wellcome）【でぃんはおちゃおしー／ウェルカム】……P16・101/MAP❸B-1
豆花荘【とうほあじゃん】……P23/MAP❸B-1
東京彩健茶荘【とんちんつぁいじぇんちゃーじぁん】……P78・99/MAP❹B-1外

index

［な］

寧夏夜市【にんしゃーいえしー】……P10・16・59・66・98・105/MAP🅒B-1

［は］

豪季水餃専売店【はおじーしゅいじゃおちゅえんまいでぃえん】……P105/MAP🅐B-1

漢聲巷門市【はんしぇんしゃんめんしー】……P24・120/MAP🅐C-1

冰讃【ぴんさん】……P71/MAP🅓A-1

方家【ふぁんじゃー】……P105/MAP🅒B-1

蕙風堂【ふいふぉんたん】……P62/MAP🅑

活泉【ふおちゅえん】……P55・103/MAP🅐B-1

浮光 books/café【ふーぐぁん】……P97・121/MAP🅓A-1

不老松【ぷーらおそん】……P27・55/MAP🅐B-1

北師美術館【ぺいしーめいしゅーくぁん】……P103/MAP🅐C-2

黑丸嫩仙草【へいわんねんしぇんつぁお】……P103/MAP🅐C-1

華山1914【ほあしゃんいーじうぃーすー】……P115/MAP🅐B-1

華新街【ほあしんじえ】……P114/MAP🅐A-2外

環河南路一段【ほあんはーなんるーいーとぅあん】……P75/MAP🅐A-1

紅拾玖【ほんしーちう】……P63/MAP🅓A-1

朋丁【ぽんでぃん】……P98/MAP🅓B-2

［ま］

妙口四神湯【みゃおこうすーしんたん】……P75/MAP🅒A-1

明德素食園【みんだーすーしーゆえん】……P17/MAP🅐C-2

蘑菇（MOGU）【もぐ】……P74/MAP🅓A-1

［や］

郵政博物館【ようちゅんぽーうーくぁん】……P90/MAP🅐B-2

遊牧to go NOMAD【ようむー】……P103/MAP🅐C-2

永康刀削麺【よんかんとうしゃおみぇん】……P35/MAP🅑

永楽市場【よんらーしーちゃん】……P112/MAP🅒A-1

［ら］

老屁股【らおぴーぐー】……P105・113/MAP🅑

日新現做早餐店【りーしんしぇんつおざおつぁんでぃえん】……P50/MAP©B-1
李記豆漿【りーちーとうじゃん】……P46・98・109/MAP©A-2
劉芋仔蛋黃芋餅【りゅういーざいだんほぁんいーぴん】……P10・17/MAP©B-1
劉媽媽飯團【りゅうまーまーふぁんどぅあん】……P25/MAP©B-1
龍縁【ろんゆぇん】……P62/MAP©B-1

［わ］
萬國酸菜麵【わんごうすわんつぁいみぇん】……P26/MAPⒶA-1

［英字］
A Design & Life Project ……P75/MAP©A-2
Awesome Burger ……P35・67・95/MAPⒶC-1
Birkenstock（ビルケンシュトック）……P30/MAPⒷ
Comida ……P91・113/MAPⒹB-1
Comedy Base ……P106/MAPⒶC-1
Curry For PEACE ……P97/MAPⒶC-2
Flux by Fancia ……P94/MAPⒶA-2
IKEA（敦北店）……P23・34・95/MAPⒶC-1
IKEA（新荘店）……P23・50/MAPⒶA-1外
MUME ……P114/MAPⒶC-2
Plain Stationery Homeware & Cafe ……P39/MAPⒷ
Play Design Hotel ……P10・46・50/MAP©B-1
RAW ……P63・66・99/MAPⒶC-1外
VIA HOTEL LOFT ……P14/MAPⒹB-1
yaboo ……P31/MAPⒷ
Y区 ……P31・62/MAPⒶB-1

※本文中に傍線をつけた店を地図で紹介、MAP ⒶⒷはカバー裏面にあります。
※ふりがなは基本的に北京語読みにしていますが、いくつかは台湾語読みになっています。
※予告なく移動・閉店されることがありますので、事前に必ず調べてから訪れてください。

森井ユカ Yuka Morii

立体造形家で雑貨コレクター。多い時は年の5分の1を取材旅行に費やす。立体造形では粘土を使ったキャラクターデザインや「ねんDo!」「ネコカップ」等を企画。『スーパーマーケットマニア』シリーズ、『地元スーパーのおいしいもの、旅をしながら見つけてきました。47都道府県!』『10日暮らし、特濃シンガポール』『旅のアイデアノート』『IKEAマニアック』など著書多数。専門学校桑沢デザイン研究所では、「キャラクターマーケティング」のゼミを担当。
2019年1月より台北と東京を行き来する生活を開始。

ブックデザイン　野島禎三（YUKA DESIGN）

参考 Google map / 台北観光サイト https://www.travel.taipei/ja/information/tourist-map

月《つき》イチ台北《たいぺい》どローカル日記《にっき》

2020年1月29日　第1刷発行

著　者　森井《もりい》ユカ
発行者　茨木政彦
発行所　株式会社 集英社
〒101-8050 東京都千代田区一ツ橋2-5-10
編集部 03-3230-6068
読者係 03-3230-6080
販売部 03-3230-6393（書店専用）
印刷所　大日本印刷株式会社
製本所　加藤製本株式会社

集英社ビジネス書公式ウエブサイト　http://business.shueisha.co.jp/
集英社ビジネス書公式Twitter　https://twitter.com/s_bizbooks（@s_bizbooks）
集英社ビジネス書Facebookページ　https://www.facebook.com/s.bizbooks

ISBN978-4-08-786122-8　C0026